MARCHA CRIANÇA

5º ANO
ENSINO FUNDAMENTAL

ENSINO RELIGIOSO

Dagmar de Assis Ramos
Professora e pesquisadora do Ensino Fundamental e Médio.
Bacharela em Direito com licenciatura plena em História.
Pós-graduada em História do Brasil pela Universidade Candido Mendes (Ucam-RJ).
Pós-graduada em Teologia pela Pontifícia Universidade Católica do Rio de Janeiro (PUC-RJ).

Decimar de Assis Henrique
Professora e pesquisadora das áreas de Educação e de Ensino Religioso, credenciada pelo curso superior de Teologia da Arquidiocese de Brasília.
Professora do Ensino Fundamental da rede pública do município do Rio de Janeiro.

editora scipione

editora scipione

Presidência: Mario Ghio Júnior
Direção de soluções educacionais: Camila Montero Vaz Cardoso
Direção editorial: Lidiane Vivaldini Olo
Gerência editorial: Viviane Carpegiani
Gestão de área: Tatiany Renó
Edição: Mariangela Secco (coord.), André Fonseca (editor)
Planejamento e controle de produção: Flávio Matuguma, Juliana Batista, Felipe Nogueira e Juliana Gonçalves
Revisão: Kátia Scaff Marques (coord.), Brenda T. M. Morais, Claudia Virgilio, Daniela Lima, Malvina Tomáz e Ricardo Miyake
Arte: André Gomes Vitale (ger.), Catherine Saori Ishihara (coord.), Lourenzo Acunzo (edição de arte)
Diagramação: Arte4 Produção editorial
Iconografia e tratamento de imagem: André Gomes Vitale (ger.), Claudia Bertolazzi e Denise Kremer (coord.), Daniel Cymbalista (pesquisa iconográfica) e Fernanda Crevin (tratamento de imagens)
Licenciamento de conteúdos de terceiros: Roberta Bento (gerente); Jenis Oh (coord.); Liliane Rodrigues; Flávia Zambon e Raísa Maris Reina (analistas de licenciamento)
Ilustrações: Nicolas Maia (Aberturas de unidade), Gustavo Furstenau, Ilustra Cartoon, José Luís Juhas, (Miolo)
Design: Erik Taketa (coord.) e Aurélio Camilo (proj. gráfico e capa)
Foto de capa: Estúdio Luminos

Todos os direitos reservados por Somos Sistemas de Ensino S.A.
Avenida Paulista, 901, 6ª andar – Bela Vista
São Paulo – SP – CEP 01310-200
http://www.somoseducacao.com.br

Dados Internacionais de Catalogação na Publicação (CIP)

```
Henrique, Decimar de Assis
   Marcha Criança : Ensino religioso : 1º ao 5º ano /
Decimar de Assis Henrique, Dagmar de Assis Ramos. -- 3.
ed. -- São Paulo : Scipione, 2020.
   (Coleção Marcha Criança ; vol. 1 ao 5)

Bibliografia

1. Ensino religioso (Ensino fundamental) - Anos iniciais
I. Título II. Ramos, Dagmar de Assis III. Série

20-1104                                              CDD 371.07
```

Angélica Ilacqua - Bibliotecária - CRB-8/7057

2023
Código da obra CL 745893
CAE 721187 (AL) / 721186 (PR)
ISBN 9788547403218 (AL)
ISBN 9788547403225 (PR)
3ª edição
7ª impressão
De acordo com a BNCC.

Impressão e acabamento: Bercrom Gráfica e Editora

Uma publicação

Com ilustrações de **Nicolas Maia**, seguem abaixo os créditos das fotos utilizadas nas aberturas de Unidade:

UNIDADE 1: Sala: Artazum/Shutterstock, **Pote de biscoitos:** Studio KIWI/Shutterstock, **Xícaras:** Vastram/Shutterstock, **Sofá cinza:** Pix11/Shutterstock, **Tabuleiro:** Greatstockimages/Shutterstock, **Mesa:** Photographyfirm/Shutterstock.

UNIDADE 2: Rua: Luis War/Shutterstock.

UNIDADE 3: Quarto: Artazum/Shutterstock, **Cozinha:** Kazoka/Shutterstock, **Pratos:** Seregam/Shutterstock, **Talheres:** Africa Studio/Shutterstock, **Macarrão:** Seregam/Shutterstock, **Salada:** Dusan Zidar/Shutterstock, **Quarto de brinquedos:** Africa Studio/Shutterstock, **Cozinha com gato:** Africa Studio/Shutterstock.

UNIDADE 4: Laboratório: Tsuneomp/Shutterstock, **Microscópios:** Triff/Shutterstock, **Aranha:** Perutskyi Petro/Shutterstock, **Borboletas:** Butterfly Hunter/Shutterstock, **Plantas:** Johannes Kornelius/Shutterstock.

APRESENTAÇÃO

Querido aluno,

Todos os dias você brinca, aprende e faz descobertas.

Você está crescendo!

Pensando nisso, desejamos que, por meio do Ensino Religioso, você construa sua vida por caminhos livres de preconceitos em busca de um mundo melhor.

Nós esperamos que, auxiliado por este material, você cresça em tamanho e sabedoria, e que a cada lição você pratique o amor ao próximo e à natureza.

Cada Unidade foi pensada para contribuir com o seu desenvolvimento dentro e fora da sala de aula.

Vamos juntos aprender que somos todos irmãos!

Um carinhoso abraço,

As autoras

Gustavo Furstenau/Arquivo da editora

CONHEÇA SEU LIVRO

Veja a seguir como seu livro está organizado.

UNIDADE

Seu livro está organizado em quatro Unidades. As aberturas são compostas dos seguintes boxes:

Entre nesta roda

Você e os colegas terão a oportunidade de conversar sobre a imagem apresentada e a respeito do que já sabem sobre o tema da Unidade.

Nesta Unidade vamos estudar...

Neste boxe, você vai encontrar uma lista dos conteúdos que serão estudados na Unidade.

ATIVIDADES

Momento de verificar, por meio de atividades diversificadas, se os conteúdos foram compreendidos.

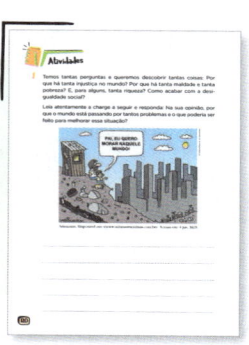

Em cada um dos dezesseis itens numerados, você encontra diversos conteúdos e propostas de reflexão.

VOCÊ EM AÇÃO

Você encontrará esta seção em todas as disciplinas. Em **Ensino Religioso**, ela propõe atividades práticas que trabalham competências socioemocionais.

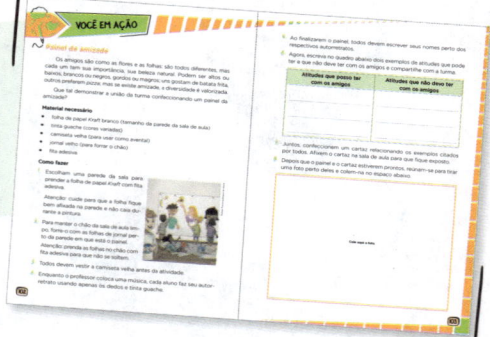

O TEMA É...

Comum a todas as disciplinas, esta seção traz uma seleção de temas para você refletir, discutir e aprender mais, ajudando-o a atuar no seu dia a dia com mais consciência!

SAIBA MAIS

Boxes com curiosidades, reforços e dicas sobre o conteúdo estudado.

AMPLIANDO O VOCABULÁRIO

Algumas palavras estão destacadas no texto e o significado delas aparece sempre na mesma página. Assim, você pode ampliar seu vocabulário.

QUEM É?

Boxe com informações sobre autores e artistas.

SUGESTÕES PARA O ALUNO

Seleção de livros, CDs, filmes e *sites* para complementar seus estudos e ampliar seus conhecimentos.

≥ **Material complementar** ≤

CADERNO DE CRIATIVIDADE E ALEGRIA

Material que explora os conteúdos de Ensino Religioso de forma divertida e criativa!

≥ **Quando você encontrar estes ícones, fique atento!** ≤

 Em dupla    Em grupo    Com a família    No caderno    Oral

SUMÁRIO

UNIDADE 1 — O VALOR DE CADA UM 8

- **1** Você é um ser social 10
  - Cidadania 12
  - **Você em ação** Coragem e senso de justiça 15
- **2** Fraternidade na escola 17
  - Fraternidade 19
  - **O tema é...** Direito à paz 23
- **3** Somos diferentes 25
  - **Você em ação** Jornal digital 30
- **4** Palavras, gestos, símbolos – tudo tem significado 31
  - Alguns símbolos religiosos 33
  - O poder da palavra 35
  - **O tema é...** Preconceito não! 38

UNIDADE 2 — ACREDITANDO PARA VIVER 40

- **5** O século XXI em busca da fé 42
  - Espaços e acontecimentos sagrados 43
  - Espiritualidade e fé 44
  - Fé, esperança e caridade 45
  - **Você em ação** Tecnologia e boas ações ... 49
- **6** A força dos povos 50
  - Ações humanitárias 51
  - **O tema é...** Paz no mundo 56
- **7** Conhecer para amar e respeitar 58
  - Conhecer os outros 59
  - **Você em ação** Festas e datas comemorativas 64
- **8** Sonhando com justiça 65
  - Os Dez Mandamentos 66
  - O poder utilizado para o bem maior 68
  - Estado laico 69
  - **O tema é...** Poder, palavra e cultura para os Bororo 72

UNIDADE 3 — SOMOS RESPONSÁVEIS ... 74

≥ 9 ≤ **Crescer plenamente** ... 76
    Direitos, deveres, responsabilidades ... 79
    Sabedoria ... 81

Você em ação Cuidando da escola ... 84

≥ 10 ≤ **Amadurecimento e responsabilidades** ... 85
    Responsabilidade ... 86
    Assumindo compromissos ... 87

O tema é... Ser social ... 93

≥ 11 ≤ **Amigo se conquista...** ... 95
    Amizade: um compromisso ... 97

Você em ação Painel da amizade ... 102

≥ 12 ≤ **Belezas que encantam** ... 104
    Preservação e valorização da natureza e dos espaços públicos ... 105
    Patrimônio material e imaterial ... 106

O tema é... Divulgar ajuda a preservar ... 112

UNIDADE 4 — ESCOLHENDO CAMINHOS ... 114

≥ 13 ≤ **Fazendo descobertas** ... 116
    Tecnologia e esperança ... 118

Você em ação Feira de invenção ... 123

≥ 14 ≤ **Liberdade** ... 124
    Para viver com liberdade ... 125

O tema é... Resistência ... 130

≥ 15 ≤ **Tradições religiosas** ... 132
    Ritos religiosos ... 134
    Festas religiosas ... 135

Você em ação Painel de festas religiosas ... 140

≥ 16 ≤ **Tempo de alegria** ... 141
    Celebrações diversas ... 142

O tema é... Música para nos conectarmos ... 148

SUGESTÕES PARA O ALUNO ... 150

BIBLIOGRAFIA ... 152

UNIDADE 1

O VALOR DE CADA UM

Entre nesta roda

- O que você consegue perceber nesta cena?
- Você já participou de alguma ação de caridade? Conte para os colegas como foi sua experiência.

Nesta Unidade vamos estudar...

- As ações que nos ajudam a viver em sociedade
- O diálogo, a paz e os direitos de cada pessoa
- Nossas diferenças
- Símbolos religiosos

1 VOCÊ É UM SER SOCIAL

A injustiça em qualquer lugar é uma ameaça à justiça em todo lugar.

Martin Luther King

Somos seres sociais. Precisamos ter consciência do nosso papel na sociedade, buscando dias melhores e amando ao próximo.

Leia o texto a seguir.

Era uma vez uma joaninha
que nasceu sem bolinhas...

Por isso ela era diferente.
As outras joaninhas não davam "bola" pra ela.
Cada qual com suas bolinhas,
viviam dizendo que ela não era
uma joaninha.

A joaninha ficava triste,
pensando nas bolinhas e
no que poderia fazer...
Comprar uma capa de bolinhas?
Ou, quem sabe, ir embora para longe,
muito longe dali?
[...]

Então ela resolveu não dar mais importância ao que as outras joaninhas pensavam e continuou sua vida de joaninha sem bolinhas...

Até que um dia, as joaninhas reunidas resolveram expulsar do jardim aquela que para elas não era uma joaninha!

Sabendo que era uma autêntica joaninha, mesmo sem bolinhas, teve uma ideia...
[...]

Uma joaninha diferente..., de Regina Célia Melo. São Paulo: Paulinas, 2003. p. 3-22.

1 Na sua opinião, as joaninhas do jardim agiram corretamente com a joaninha sem bolinhas? Por quê?

2 Formem grupos com até cinco colegas e elaborem um final para a história da joaninha.

Cidadania

Para viver melhor em sociedade, o primeiro passo é conhecer nossos direitos e deveres; e, para praticar a cidadania, muitas vezes é necessário ter documentos.

Você conhece estes documentos?

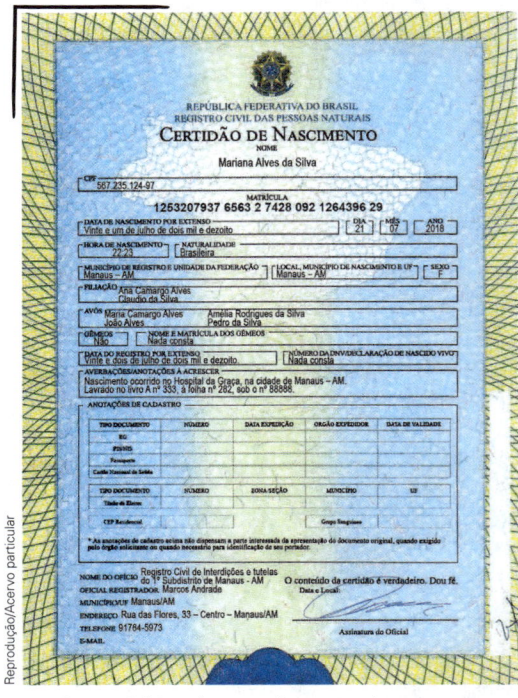

- A certidão de nascimento é o nosso primeiro documento.

- O Cadastro de Pessoa Física, mais conhecido como CPF, é obrigatório. Esse documento certifica que o seu titular está cadastrado no Ministério da Economia, órgão do governo responsável pela arrecadação de impostos. Sem ele, não é possível abrir conta em banco, por exemplo.

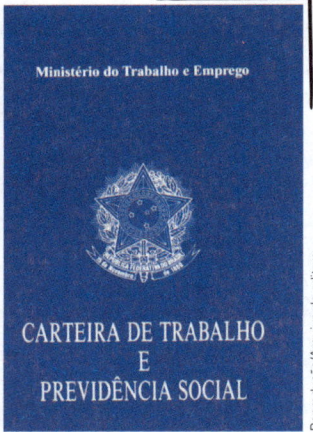

- A carteira de trabalho é um documento em que devem constar os registros de trabalho de uma pessoa.

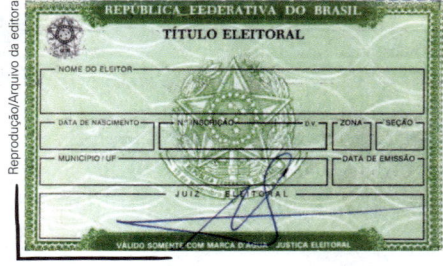

- Com o título de eleitor a pessoa se torna um eleitor e tem o dever de votar em todas as eleições.

Esses são exemplos de documentos que comprovam nossa existência perante a lei e nos garantem a reivindicação de nossos direitos e o cumprimento de nossos deveres.

Como cidadãos, somos responsáveis por escolher representantes do nosso município, estado e país que nos garantam igualdade social. É nosso dever escolher para nos representar no poder pessoas que estejam preocupadas com o bem comum.

Muitos dizem que a religião não tem nada a ver com a política, mas a religiosidade nos torna mais sensíveis às necessidades da humanidade. Juntas, religião e política nos proporcionam a reflexão sobre os direitos humanos em busca da igualdade e da paz.

Atividades

1 Devemos ser valorizados pelo que somos, não pelo que parecemos ser. Leia as frases abaixo. Escreva **V** (verdadeiro) nos quadrinhos das frases com que você concorda, e **F** (falso) nos quadrinhos das frases com que você não concorda.

a) ☐ O ser humano vale pelo que é.

b) ☐ Para viver em sociedade, precisamos participar.

c) ☐ É importante que as pessoas sejam boas.

d) ☐ Devemos falar o que pensamos com educação para não magoar as pessoas.

e) ☐ Devemos falar o que pensamos sem nos preocupar com as outras pessoas.

2 Pinte os quadros que representam condições que geralmente são consideradas motivo de discriminação entre as pessoas.

- pobreza
- beleza
- doenças
- religião
- surdez
- lugar de origem
- cegueira
- riqueza
- cor da pele
- analfabetismo

• Agora responda: você acha isso certo? Por quê?

....

....

....

....

3 A discriminação gera injustiça e tristeza. E tudo isso gera insegurança, revolta e violência.

Como você acha que seria o mundo se não houvesse injustiças? Complete o quadro:

No mundo sem injustiças, haveria:

4 Formem grupos com, no máximo, 5 colegas e pensem em propostas para solucionar os problemas sociais da cidade em que vivem, relacionados a saúde, moradia, educação e outros, como se vocês fossem políticos determinados em construir uma sociedade justa e solidária. Cada grupo deverá registrar suas propostas em uma folha avulsa.

Depois, cada grupo irá apresentar suas propostas para o restante da turma, que vai votar no grupo que apresentou as melhores propostas, demonstrando, assim, o valor de sua escolha e o peso do voto.

VOCÊ EM AÇÃO

Coragem e senso de justiça

> Não se cansem de trabalhar por um mundo mais justo e solidário. Ninguém pode permanecer insensível às desigualdades que ainda existem no mundo. Não deixemos entrar no nosso coração a cultura do descartável, porque nós somos irmãos.
>
> **Papa Francisco**

Coragem e senso de justiça são duas virtudes que o ser humano precisa ter para viver em sociedade.

Você deve conhecer histórias de pessoas corajosas, que lutaram ou deram sua própria vida para salvar outras pessoas. Porém, coragem é também vencer o medo e as dores, enfrentar as dificuldades do dia a dia e se esforçar para superá-las.

Você pratica atos de justiça quando respeita e trata a todos com igualdade, quando cumpre seus deveres, quando ajuda quem mais precisa, quando reconhece as coisas boas que as pessoas fazem por você e agradece a elas por isso.

É importante pensar que não haverá justiça se não houver igualdade de direitos.

Em 1889, Bertha von Suttner escreveu o romance **Abaixo às armas**; em 1892 ajudou a organizar o Primeiro Congresso Internacional da Paz, em Viena, na Áustria. Em 1905, Bertha foi a primeira mulher no mundo a ganhar um Prêmio Nobel da Paz por seu ativismo.

 **1.** O ato de coragem e o senso de justiça de muitas pessoas ajudaram a mudar o mundo para melhor. Observem os nomes a seguir, formem grupos para pesquisar suas biografias e seus atos de coragem e justiça.

- Maria da Penha
- Zilda Arns
- Martin Luther King
- Rosa Parks
- José Carlos do Patrocínio
- Nise da Silveira

Cabe a cada um reconhecer suas virtudes para exercê-las e reconhecer suas imperfeições para tentar melhorar como ser humano. Isso contribui para construir um mundo mais harmonioso e nos ajuda a viver melhor.

Somando virtudes como fé, humildade, bondade, senso de justiça, coragem, dignidade, sabedoria, caridade podemos tornar o mundo um lugar mais humano e feliz, livre de preconceitos, guerras e injustiças.

O amor conduz o pensamento para o que é justo, sublime e superior, desenvolvendo virtudes que nos ajudam a viver melhor com os outros.

2 Agora, formem grupos para fazer uma entrevista a fim de descobrir como determinadas religiões compreendem o que é justiça.

Para isso, sigam o roteiro proposto a seguir:

- Nome: _____

- Idade: _____

- Religião: _____

- De acordo com sua religião, o que significa viver com coragem, justiça e fraternidade?

_____
_____
_____
_____

3 Depois, compartilhe sua entrevista com os colegas.

2 FRATERNIDADE NA ESCOLA

> Que o vosso amor cresça ainda, e cada vez mais, em conhecimento e em todo discernimento.
>
> **Carta aos Filipenses 1,9**

O que significa fraternidade? Onde e como encontrá-la?

De acordo com o dicionário, "fraternidade" significa amor ao próximo, união com os irmãos, harmonia, paz, concórdia. Ela existe dentro de cada ser humano, no coração de quem sabe amar e de quem sonha com a justiça e com a igualdade entre os povos.

A fraternidade é um sentimento que não conhece o egoísmo, a inveja e a maldade. É uma atitude de solidariedade e respeito.

Na escola, todo aluno aprende a ler, a fazer contas e a conviver com as pessoas. Não há lugar melhor para ouvir risos, gritos, barulhos, passos apressados, músicas e histórias! Na escola, aprendemos a sonhar, a buscar o sentido da vida. É nela também que podemos aprender a ser solidários.

Porém, também na escola, muitas vezes percebemos atitudes de algumas pessoas que nos entristecem. Notamos que algum aluno da classe está sendo perseguido, humilhado e algumas vezes até maltratado. E isso se chama *bullying*, que é um termo da língua inglesa para as agressões verbais ou físicas, intencionais e repetitivas, a alguém. É uma atitude que causa, para o resto da vida, dor, angústia, medo e baixa autoestima na pessoa que a sofre.

Para evitar que o *bullying* aconteça nas escolas, precisamos lutar contra todo e qualquer tipo de maldade, discriminação e perseguição. Se nos unirmos com o amor fraterno que há dentro de cada um de nós, com certeza conseguiremos vencer esse grave problema.

Escola é lugar de crescer com alegria, viver com fraternidade.

1 Você já viu alguém sofrendo ou praticando *bullying*? O que sentiu?

2 O que você diria para alguém que sempre sofre *bullying*? Como você ajudaria essa pessoa?

Fraternidade

Viver com fraternidade é também lutar pela paz. Paz verdadeira que vem da justiça e da esperança compartilhada com nossos irmãos.

Paz é uma graça, um presente na vida de quem luta, acredita e ama. Buscar a paz é uma atitude inteligente.

O diálogo entre as religiões de países com culturas e condições financeiras bem diferentes é uma atitude de aprendizado e de busca de entendimento entre os povos.

As igrejas cristãs têm-se unido com o objetivo de buscar um diálogo que aproxime diferentes religiões do mundo. Dessa união resultou um movimento que visa à unificação das igrejas cristãs (católica, ortodoxa, protestante) chamado **ecumenismo**, que em grego significa "terra habitada".

O movimento ecumênico propõe uma profissão de fé baseada na busca de uma nova visão de Deus, em missões, ações políticas e sociais, no respeito e em princípios éticos para superar divergências religiosas, promover a aproximação dos cristãos no amor, na amizade, na fraternidade e no companheirismo, cooperando para uma cultura de paz.

Mulher síria sendo ajudada por membros das Forças de Paz da ONU, ao chegar a um campo para refugiados no Iraque, em 2019.

Os cristãos desejam conviver bem com todas as religiões, denominando esse diálogo de inter-religioso, acreditando que todos somos capazes de viver como irmãos, buscando o caminho da justiça e da liberdade para que todos os que creem e os que não creem sejam tratados com respeito e igualdade.

E, assim, conquistaremos a tão sonhada vida em fraternidade, termo que vem do latim *frater*, que significa "irmão". A fraternidade universal significa boa relação entre os homens, um laço de união, visando à igualdade de direitos entre os seres humanos e à dignidade de todos.

Atividades

1 Tudo o que fazemos com amor produz felicidade e bondade. A bondade nos ajuda a transformar o mundo e a viver em harmonia com o próximo. Escreva algumas atitudes que podemos tomar para tornar o mundo mais fraterno.

Gelpi/Shutterstock

2 É hora de conscientizar as pessoas da escola de que nossa convivência deve ser humana, respeitosa e solidária! Reúnam-se em grupos para fazer cartazes e espalhá-los pela escola. Os cartazes devem mostrar que:

- precisamos aceitar as diferenças;
- cada ser humano possui seu jeito próprio;
- a escola é um lugar para aprender a fraternidade;
- todos nós merecemos carinho, amor e respeito;
- ninguém é perfeito, mas devemos buscar aprender com nossos erros.

3 Encontre no diagrama nove palavras relacionadas à boa convivência.

E	P	A	R	T	I	L	H	A	F	V	M	A
Z	X	C	V	B	M	N	K	L	Ç	P	A	C
C	S	J	U	S	T	I	Ç	A	C	Q	R	E
O	D	G	H	N	W	G	S	E	R	S	G	I
L	E	T	B	U	Q	U	A	D	E	D	B	T
A	M	O	R	W	A	A	Z	F	S	W	E	A
B	R	F	G	H	J	L	X	G	P	G	Q	Ç
O	A	J	A	Y	L	D	C	H	E	R	W	Ã
R	S	U	S	T	E	A	V	J	I	T	U	O
A	D	J	D	F	S	D	G	K	T	A	N	C
Ç	G	H	F	G	H	E	N	L	O	D	I	Q
Ã	P	A	R	T	I	C	I	P	A	Ç	Ã	O
O	F	K	L	Ç	P	O	Y	M	N	B	O	E

- Agora, escreva no espaço abaixo um texto que incentive a boa convivência, usando as palavras encontradas no diagrama.

4 Encontre as sete diferenças entre as cenas abaixo. Depois, marque a cena que mostra situações de fraternidade.

O TEMA É...

Direito à paz

No dia 1º de janeiro celebramos o Dia Mundial da Paz. Nos anos 2017 e 2018 o papa Francisco definiu os seguintes temas, respectivamente: A não violência: estilo de uma política para a Paz, e Migrantes e refugiados: homens e mulheres à procura da paz.

Leia, abaixo, a história em quadrinhos publicada em 2019.

refugiados: pessoas que, por motivos religiosos, políticos ou culturais, foram perseguidos e obrigados a deixar seu país de origem.

Cascão, n. 56, 2019.

1 Converse com os colegas sobre a importância dos temas referentes à não violência, migrantes e refugiados.

2 Citem alguns direitos da criança e do adolescente que não estão sendo respeitados nos quatro primeiros quadrinhos da HQ.

Crianças e adolescentes refugiados são os indivíduos em situação mais vulnerável, ou seja, estão mais sujeitos a exploração, abusos e têm menos chances de acesso à educação.

Os dados de jovens refugiados, de acordo com a Agência da ONU para Refugiados (ACNUR), são:

- Estima-se que, em 2017, havia aproximadamente 7,4 milhões de refugiados no mundo.
- Cerca de 4 milhões de refugiados tinham menos de 18 anos e não tinham acesso à escola.
- Mais de 170 mil jovens estavam desacompanhados, o que os deixava ainda mais suscetíveis à exploração.

Crianças venezuelanas refugiadas, durante aula de canto em uma ONG na cidade de Pacaraima (RR), em 2019. Ser acolhido em outro país nem sempre é fácil. As pessoas refugiadas enfrentam muitos tipos de preconceito: raciais, culturais e religiosos.

 **3** Formem grupos e pesquisem se nas instituições religiosas que frequentam ou do bairro há algum projeto de acolhimento e reintegração de refugiados ou algum outro projeto que dê suporte humanitário.

Para isso, sigam o roteiro proposto abaixo:

- Nome da instituição
- Nome do projeto
- Data do início do projeto
- Público-alvo
- Em que consiste

3 SOMOS DIFERENTES

> [...] as nossas diferenças não constituem um dano nem um perigo; são uma riqueza.
>
> **Papa Francisco**

O segredo está na diferença, em aprender com o outro, em viver, dialogar, amar...

Somos diferentes, com pensamentos e crenças distintas.

Para a humanidade, pode ser um desafio dialogar sobre o que é desconhecido, mas a religião pode ensinar uma maneira de viver melhor, de amar o próximo, e nos propõe viver com humildade, ser solidários, justos e buscar a felicidade.

Cada pessoa é diferente, por isso é única e especial.

Conhecer o seu direito de orar, agradecer, rezar e praticar rituais torna sua vivência espiritual mais digna e consciente.

Conviver com as diferenças é um desafio para o ser humano. Respeitar, aceitar, partilhar e estabelecer um diálogo para uma boa convivência é um desafio maior ainda. A religião é uma das ferramentas para vencer esse desafio.

- Na sua opinião, como as religiões podem contribuir para que haja respeito entre todas as pessoas?

Conheça a seguir alguns grupos religiosos com maior número de seguidores no mundo.

Os adeptos do **cristianismo** totalizam 31,1% da população mundial. Eles procuram seguir os ensinamentos de Jesus Cristo, um judeu que nasceu há muito tempo em Belém, na antiga Judeia, e passou grande parte de sua vida em Nazaré, na Galileia. Por isso, foi também chamado de Jesus de Nazaré.

Católicos participam da celebração dominical da Santa Missa na Cidade do México, México, em 2014.

Jesus foi reconhecido pelos seus seguidores como o Messias, o Filho de Deus enviado para salvar a humanidade. Ele pregava o amor, a misericórdia, o perdão e a igualdade entre os povos. Por meio de parábolas, ele ensinava o povo que o seguia. Seus seguidores são os cristãos, que têm como livro sagrado a Bíblia.

24,9% da população mundial segue a fé muçulmana, ou **islamismo**, que se baseia nos ensinamentos do profeta Maomé, considerado o último dos profetas enviados por Alá ("Deus", em árabe), que revelou sua vontade por intermédio do anjo Gabriel. O seu livro sagrado é o Alcorão.

Mulher ensina tradições religiosas muçulmanas a um menino, na Malásia, em 2018.

15,2% da população segue o **hinduísmo**, uma das mais antigas tradições religiosas do mundo. O hinduísmo surgiu na Índia e chegou ao mundo inteiro sob diversas formas de meditação transcendental. Sem um fundador específico, é uma religião de várias divindades e muitas linhas de pensamento. Para alguns, sua crença se baseia em que tudo é divindade, ou tudo é deus, a quem chamam de Brahma. Mas também há outros dois deuses principais: Vishnu e Shiva. O que há em comum na crença de todos os hindus é a reencarnação.

Ritesh Shukla/NurPhoto/Getty Images

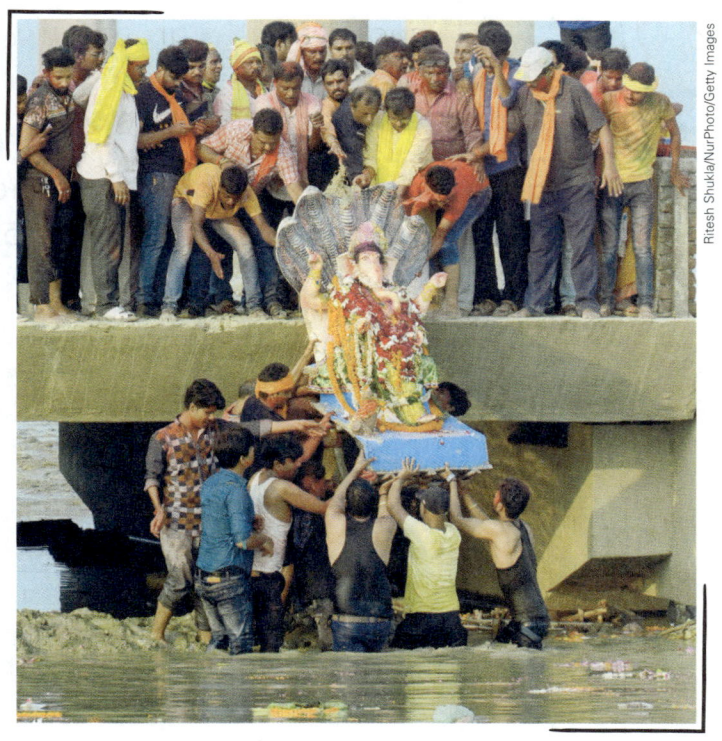

Ritual de imersão dedicado ao deus hindu Ganesha, no rio Ganges, Índia, em 2018.

Os adeptos do **budismo** representam 6,6% da população e têm sua crença baseada nos ensinamentos de Buda, o Iluminado, nome atribuído ao príncipe Sidhartha Gautama, que deixou a família e se tornou monge, passando a pesquisar as causas do sofrimento, da velhice, da morte e do renascimento. Eles acreditam na reencarnação, isto é, que renascemos depois da morte, e que só encontraremos a paz verdadeira quando nos libertarmos de todos os nossos anseios, atingindo um estado de paz absoluta, chamado nirvana. Os livros sagrados mais antigos dos budistas estão reunidos no Cânone Pali.

Natalia Davidovich/Shutterstock

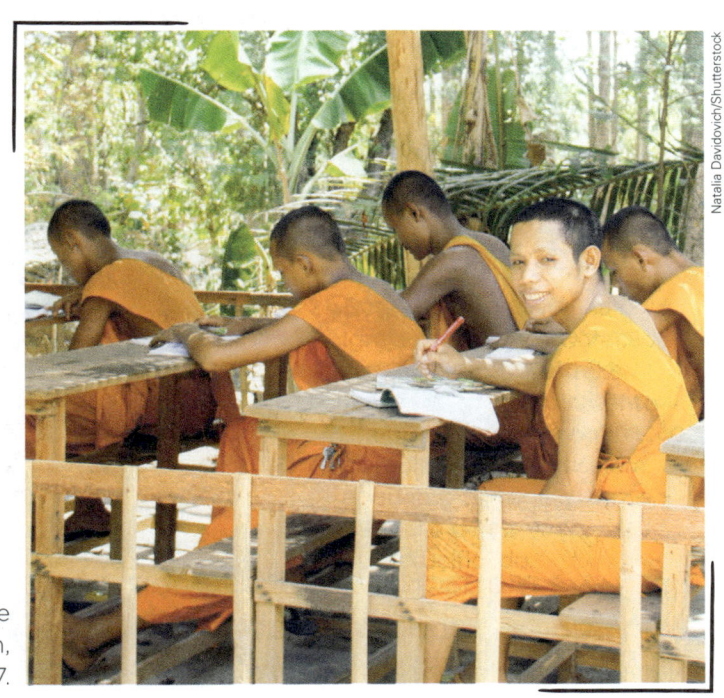

Jovens monges budistas durante aula no mosteiro em que moram, no Camboja, em 2017.

Atividades

1 Relacione os itens a seguir formando frases que correspondem à construção de uma sociedade harmoniosa.

a) Um mundo solidário

b) O diálogo entre as religiões

c) As diferentes religiões

d) É importante para a humanidade

[ ] é um grande desafio para a humanidade.

[ ] que todos tenham fé e busquem a paz.

[ ] não se constrói sozinho.

[ ] nos ensinam a viver melhor.

2 Leia o trecho abaixo da canção **Momento novo** e responda: Por que o último verso afirma que "sozinho, isolado, ninguém é capaz"?

> Deus chama a gente prum momento novo
> De caminhar junto com seu povo.
> É hora de transformar o que não dá mais
> Sozinho, isolado, ninguém é capaz!
>
> Momento novo. **Revivendo: Viva vida & Gente de casa** (CD), de Ernesto Cardoso, Tercio Junker e outros. Sonopress, 1998. (Fragmento).

3 Leia a tirinha abaixo.

Armandinho, de Alexandre Beck. Disponível em: <https://tirasarmandinho.tumblr.com/page/8>. Acesso em: 23 jan. 2020.

- O que você responderia para o Armandinho?

4 Com um colega, siga as instruções abaixo e divirtam-se!

a) O professor vai levá-los para um espaço amplo da escola (quadra, pátio, etc.).

b) Escolham quem deverá começar a atividade usando a venda nos olhos, enquanto o outro deverá guiar o colega, com bastante cuidado, pelo espaço.

c) Quem estiver guiando deverá estar muito atento com o entorno para informar o colega vendado se há obstáculos no caminho, por exemplo.

d) Depois de um tempo explorando o espaço, troquem de posição e brinquem novamente!

VOCÊ EM AÇÃO

Jornal digital

Ao ler um jornal, seja ele impresso ou digital, ficamos sabendo das notícias mais atuais. Há jornais que são publicados diariamente e outros que são publicados semanalmente.

Você sabe como um jornal é feito? Em geral há uma reunião para decidir os assuntos, repórteres apurando notícias e entrevistando pessoas, fotógrafos tirando fotos, redatores que escrevem as notícias e diagramadores que são responsáveis pelo projeto gráfico.

Vocês vão transformar a sala de aula em uma redação de jornal.

1. Formem grupos com até 5 pessoas e decidam qual será a tarefa de cada grupo.

    Grupo 1: Redatores
    Grupo 2: Editores e revisores
    Grupo 3: Repórteres
    Grupo 4: Fotógrafos e diagramadores

2. Em seguida, pensem juntos nos assuntos que o jornal pode noticiar, por exemplo: eventos culturais e esportivos da escola, situação da limpeza e manutenção dos brinquedos, da quadra, do pátio, dos banheiros, etc.

3. Agora é a vez de os repórteres e fotógrafos circularem pela escola coletando informações e conversando com as pessoas.

    Atenção: ao abordar alguém, lembrem-se de se apresentar e explicar que estão entrevistando pessoas para o jornal da turma. Sejam sempre educados e agradeçam pelo tempo e pela atenção dispensados.

4. Os repórteres e fotógrafos devem entregar o material que coletaram para os redatores, que se encarregarão de redigir o texto. Lembrem-se de que as imagens precisam ter legendas de identificação.

5. Após a elaboração do texto, ele deve passar pelos editores e revisores, que vão finalizar o texto e selecionar as melhores fotos.

6. O texto final com as imagens deve ir para os diagramadores, que vão aplicar as imagens de acordo com o projeto do jornal.

    Dica: usem como modelo um jornal impresso ou digital.

4 PALAVRAS, GESTOS, SÍMBOLOS – TUDO TEM SIGNIFICADO

> Tua palavra é uma lamparina para meus pés e uma luz para minha trilha.
>
> **Salmo 119(118),105**

Há situações que nos causam desconforto, irritação e aborrecimento. As pessoas têm atitudes de desrespeito com o outro quando:

- fazem fofoca sobre a vida dos outros;
- empurram ou pisam no pé de alguém quando estão com pressa;
- mexem nas coisas dos outros;
- brigam e machucam os outros;
- passam à frente de outras pessoas em uma fila.

Quando atitudes negativas como essas ocorrem, precisamos demonstrar que somos pacientes e que temos educação.

O ser humano muitas vezes se esquece de que suas atitudes podem significar falta de educação e, em alguns casos, falta de amor em situações do dia a dia.

- Reflita sobre as atitudes apresentadas acima e converse com os colegas: Como seria sua reação caso presenciasse alguma dessas cenas?

No dia a dia podemos perceber muitos tipos de amor:

O amor entre pais e filhos.

O amor entre namorados.

- *Storgé* é o afeto entre familiares.

- *Eros* é o amor romântico.

O amor entre amigos

O amor a Deus.

- *Philia* é o amor entre amigos, a amizade.

- *Agape* é a doação sem esperar recompensa, amar por amar.

- Compartilhe com os colegas situações que você tenha vivenciado no dia a dia com seus familiares e amigos, e que simbolizam o amor.

Alguns símbolos religiosos

A humanidade sempre buscou se expressar por meio de representações, imagens que vão adquirindo significado, e nas culturas religiosas não é diferente. Nelas, os símbolos têm grande importância. Eles constituem uma linguagem, aproximam e unem os seres humanos. Podem aparecer de diversas formas (como cores, sons, gestos, máscaras, vestimentas, desenhos), desde que sejam compreensíveis por todos.

É importante perceber que na religião a linguagem dos símbolos significa um caminho de cada pessoa em torno de sua crença. É um passo de união com outros seres que também buscam a dignidade e o transcendente.

Vamos conhecer alguns símbolos religiosos.

Crucifixo, símbolo do cristianismo.

Estrela de Davi, símbolo do judaísmo.

Hamsá, símbolo do islamismo.

1 Cruz: um dos símbolos do cristianismo, ela traz ao cristão a lembrança do acontecimento sagrado: a morte de Jesus Cristo para salvar a humanidade. A cruz vazia lembra ressurreição; com o Cristo crucificado, significa que ele deu sua vida para nos salvar.

2 Estrela de Davi ou **Escudo de Davi**: para os judeus, esse símbolo possui muitos significados. A estrela tem seis pontas que indicam as direções norte, sul, leste, oeste, e para cima e para baixo, representando que Deus reina em todas as direções; os triângulos equiláteros também significam o equilíbrio do Universo, a união do céu e da terra, proteção. Segundo a tradição judaica, o exército do rei Davi usava o hexagrama em seus escudos, pois se acreditava que trazia proteção divina.

3 Hamsá ou Mão de Fátima: Fátima era filha de Maomé, uma mulher cheia de bondade. Para os muçulmanos, os dedos da mão representam os princípios sagrados do islamismo: a oração, a caridade, a fé, o jejum e a peregrinação.

Roda Dhármica, símbolo do budismo.

Om, símbolo do hinduísmo.

Yin-yang na forma *tei-gi*, símbolo do taoismo.

4 Roda Dhármica ou ***Dharmachakra***: símbolo do budismo, por ser um círculo, indica movimento constante. Além disso, ela possui oito raios que indicam os primeiros ensinamentos de Buda, os caminhos para uma vida em busca da iluminação: compreensão correta, pensamento correto, fala correta, ação correta, meio de vida correto, esforço correto, atenção correta e concentração correta.

5 Om: símbolo do mantra sagrado para o hinduísmo, é o som do universo, e simboliza o sopro sagrado que dá origem à vida.

6 Yin-yang: símbolo da religião chinesa chamada taoismo, representa duas forças opostas que precisam estar em harmonia para o equilíbrio do Universo, como o positivo e o negativo, o masculino e o feminino, o dia e a noite, sendo que um lado precisa do outro para existir. Sua forma mais conhecida é o *tei-gi*, o yin (preto) e o yang (branco) e os dois pontos do *tei-gi* simbolizam a ideia de que, toda vez que cada uma das forças alcança o ponto máximo, manifesta, dentro de si, a semente de seu oposto.

mantra: oração repetida várias vezes, e que leva à meditação.

Para algumas nações indígenas, os sinais encontram-se no voo dos pássaros. Quando alguém avista, por exemplo, um gavião-real ou uma águia, essa pessoa é convidada a agir com o poder do coração.

As religiões têm seus próprios símbolos, que as identificam e as fazem especiais para seus seguidores. Estes vivenciam a fé, reconhecendo suas religiões e percebendo que elas representam um caminho para o encontro maior com o transcendente.

- Agora, em grupos, usando materiais diversificados, vocês vão criar um símbolo para representar a turma.

O poder da palavra

As palavras têm uma grande força. Elas podem demonstrar carinho, afeto, mas também podem magoar nossos amigos, familiares e a nós mesmos.

Às vezes falamos coisas sem pensar e acabamos criando situações que nos deixam tristes, assim como às pessoas que nos escutam.

Devemos sempre ser cuidadosos com o que falamos, e precisamos ter um coração aberto para amar e perdoar.

Jesus Cristo transmitiu seus saberes e conhecimentos aos seus discípulos por meio de palavras, parábolas e histórias, e foram os seus discípulos que registraram por escrito os ensinamentos dele.

Para os judeus, Deus escolheu Abraão, que era leal e respeitava todos os pedidos de Deus. Cada experiência de Abraão foi transmitida oralmente durante muitos anos, até que foi registrada na Torá, os cinco primeiros livros da Bíblia, considerada a parte mais importante pelo judaísmo.

No início dos tempos, todos os ensinamentos eram transmitidos oralmente. No Brasil, muitos povos indígenas, como os Guarani, por exemplo, mantêm suas tradições e seus rituais com base na transmissão oral dos mais velhos (sábios) para os mais novos.

Vitral de uma capela na Cornualha, Inglaterra representa Jesus, em um barco, pregando o evangelho para as pessoas que o seguiam.

Crianças Guarani aprendendo sobre as tradições da tribo com os indígenas mais velhos, na aldeia Pindo-Te em Pariquera-Açu (SP), em 2010.

Atividades

1 No espaço abaixo, faça um símbolo que represente cada tipo de amor que você estudou.

2 Faça a atividade *Sudoku dos símbolos religiosos* da **página 3** do **Caderno de criatividade e alegria**.

3 Retome o conteúdo das páginas 33 e 34, e desenhe no espaço abaixo alguns símbolos da sua tradição religiosa. Depois, compartilhe com os colegas.

4 Em casa, com ajuda dos familiares, pesquisem uma história da tradição religiosa que seguem para compartilhá-la com a turma. Caso não sigam nenhuma religião, peça a seus familiares que contem a origem da sua família.

O TEMA É...

Preconceito não!

No mundo criado para o amor, para uma consciência solidária e para a busca de paz, fé e igualdade, ainda acontecem atitudes de desamor, como discriminação, guerra e violência.

- O jogador de futebol Kevin Constant segura uma banana, lançada contra ele durante uma partida como forma de insulto e preconceito racial. Esse fato ocorreu em Bérgamo, na Itália, em 2014.

- Marta, jogadora da seleção brasileira feminina de futebol, aponta para o símbolo do movimento Go Equal, que luta pela igualdade entre atletas masculinos e femininos. Esse protesto silencioso, ocorreu durante a Copa do Mundo Feminina de Futebol, na França, em 2019.

1 Formem grupos com, no máximo, quatro colegas. Observem as imagens desta página e reflitam sobre o que acontece em cada uma delas. Registrem suas impressões em uma folha avulsa e, depois, compartilhem com os demais grupos.

Apesar de inúmeros casos de racismo presenciados, por exemplo, em jogos de futebol, atualmente o esporte tem aberto cada vez mais espaço para a diversidade, como é o caso dos Jogos Olímpicos e Paralímpicos.

O espírito olímpico nos envolve de modo especial. Não importa a nacionalidade, a cultura, a religião, quando assistimos à *performance* de um atleta nos conscientizamos de que nós, seres humanos, somos iguais, pois lutamos e nos esforçamos para superar nossas dificuldades, para alcançar o que desejamos, para enfrentar nossos medos e dores; assim, aprendemos a compreender nossos limites, a respeitar e ajudar o próximo.

Atletas paralímpicos brasileiros do tênis de mesa disputam a medalha de ouro na Paralimpíada de Verão, em 2016, no Rio de Janeiro (RJ).

Independentemente de nacionalidade, cultura, situação financeira, cor da pele, deficiências físicas ou mentais, somos todos irmãos!

2 Pesquise qual é o significado dos símbolos abaixo:

Anéis olímpicos

....

....

....

Tocha olímpica

....

....

....

3 Formem grupos de, no máximo, cinco pessoas e pesquisem o que é a medalha Pierre Cobertin, quem foram os atletas que já a ganharam e por que a receberam.

UNIDADE 2

ACREDITANDO PARA VIVER

Entre nesta roda

- O que a cena mostra? Você já participou de algo assim?

- Você acha que faltam fé e paz no mundo? Justifique sua resposta.

- Você acredita que os seres humanos unidos podem alcançar a justiça e a igualdade social? Justifique sua resposta.

MAIS ♥ AMOR

Nesta Unidade vamos estudar...
- Religiões, esperança e tecnologia
- Espiritualidade e união dos povos
- Tradições religiosas
- O amor nos aproxima
- Leis que nos conduzem a uma convivência fraterna e justa

5 — O SÉCULO XXI EM BUSCA DA FÉ

> Ter fé não significa estar livre de momentos difíceis, mas ter a força para os enfrentar sabendo que não estamos sozinhos.
>
> **Papa Francisco**

O tempo passa e costumamos substituir o velho pelo novo...

O tempo é precioso, assim como as descobertas constantes da humanidade. Falamos tanto de telecomunicação, tecnologia e informática, mas é preciso falar principalmente de:

HUMANIZAÇÃO

Precisamos construir uma sociedade justa, fraterna e mais humana.

Precisamos somar forças e acreditar na luta pela defesa da vida e da liberdade. Precisamos buscar o autoconhecimento e o encontro com o próximo.

A religião pode ajudar nessa caminhada, uma vez que possibilita ao ser humano dar um novo sentido à vida. Por meio de valores espirituais, pode-se conquistar uma vida melhor e mais plena.

Esse é um dos motivos pelos quais pessoas de diferentes tradições religiosas buscam lugares sagrados para manifestar sua fé. Esses lugares são especiais e devem ser respeitados por todos nós, porque neles são realizadas práticas religiosas com as quais buscamos um encontro com o transcendente e com a nossa espiritualidade.

1 Na sua opinião, como as religiões podem ajudar a construir um mundo melhor para todas as pessoas?

2 Na sua opinião, as pessoas que não acreditam em Deus podem colaborar na construção de um mundo melhor? Por quê?

Espaços e acontecimentos sagrados

Os lugares sagrados podem ser construídos pelo ser humano, como as igrejas dos cristãos, as sinagogas dos judeus, as casas de reza dos Guarani-Kaiowá, as mesquitas islâmicas e os terreiros de candomblé e umbanda. Algumas cidades também são consideradas sagradas, como Jerusalém e Meca.

Geralmente, os espaços sagrados estão relacionados a acontecimentos históricos. O Muro das Lamentações, por exemplo, foi o que sobrou do Segundo Templo de Jerusalém, que foi destruído em 70 d.C. Jerusalém foi incendiada e, do templo, sobrou apenas o muro. Tito, general romano que depois se tornou imperador, decidiu manter o muro para que o povo judeu se lembrasse sempre de que foi derrotado por Roma, daí o nome pelo qual o muro ficou conhecido. No entanto, para o povo judeu, o muro ficou de pé como cumprimento de uma promessa divina, símbolo da aliança de Deus com o povo de Israel.

Muro das Lamentações e Domo da Rocha, em Jerusalém, Israel, em 2019.

Para muitas religiões, a natureza é um espaço sagrado. O rio Ganges é considerado pelos hindus a personificação da deusa Ganga. Seus adeptos procuram banhar-se nesse rio ao menos uma vez na vida, pois acreditam que suas águas têm o poder de curar doenças e livrar dos pecados.

Existem muitos outros lugares sagrados. Neles conseguimos nos relacionar melhor com nosso interior, com o próximo e com a natureza, na busca de nossa espiritualidade e do transcendente, fortificando a nossa fé.

Cerimônia de cremação às margens do rio Ganges, em Varanasi, na Índia, em 2019. Peregrinos espalham as cinzas de seus familiares nas águas, com o intuito de que os espíritos dos que morreram alcancem a iluminação espiritual.

- Formem grupos e pesquisem os lugares sagrados que existem no município ou no estado onde vocês moram. Depois, registrem a pesquisa em uma folha avulsa para entregar ao professor. Se possível, utilizem imagens para ilustrar o trabalho.

Espiritualidade e fé

O ser humano está em constante busca de sua espiritualidade, mesmo em uma era de tantos avanços científicos e tecnológicos.

A prática de ações humanitárias e a vida em harmonia com a natureza são maneiras que muitas pessoas encontram para explorar sua espiritualidade.

Fé é crer na existência de algo, mesmo que não seja possível provar essa existência. A fé é algo que sentimos no nosso interior e, por isso, acreditamos.

Leia o texto abaixo.

O Deus-Mistério está no mundo técnico-científico, mas retraído, **olvidado**, silenciado. Porque não se fala dele não significa que não esteja presente ou seja negado. Ele está no pudor do silêncio. Deus é como a raiz de uma árvore. Vemos a árvore. Admiramos sua **fronde**. Comemos de seus frutos. Estudamos sua natureza. Aquilo que não é visto na superfície da terra, a raiz, isso dá vigor e vida à árvore. A raiz não aparece à primeira vista. Ela está recolhida no silêncio da terra. Quando comemos os frutos e descansamos à sombra da árvore, não nos lembramos da raiz – mas é dela que vem a seiva e, com a seiva, a vida. Deus é essa raiz e essa seiva oculta. Deus é como o Sol que brilha lá fora na natureza. Da sala iluminada pela luz do sol, não vemos o Sol. Ao enxergarmos, ao trabalharmos e ao movermo-nos à luz do sol dentro da sala, raramente recordamos o Sol. Ele é olvidado e silenciado. Nem por isso deixa de brilhar sobre aquele que dele se esquece menos ou mais do que sobre aquele que dele se lembra e o nomeia em sua vida. Deus aparece assim no mundo técnico-científico: velado, olvidado e silenciado. Mas como o Sol e como a raiz Ele está presente, sendo a força e a vida da vontade de saber e de poder.

Experimentar Deus, a transparência de todas as coisas, de Leonardo Boff. Campinas: Verus, 2002.

1 Como podemos encontrar Deus?

2 O que Deus significa em nossa vida?

fronde: copa, folhagem.
olvidado: esquecido.

Fé, esperança e caridade

A humanidade precisa refletir sobre quanto está encantada com o mundo da propaganda, que exalta uma enorme quantidade de produtos que é levada a adquirir, mas que nem sempre são necessários. As pessoas têm sido avaliadas pelo que possuem e não pelo que são. É muito fácil fascinar-se com a modernidade e a tecnologia, mas não podemos deixar de lado nossos sonhos e esperanças.

Precisamos transformar o mundo, buscar igualdade e uma vida digna para todos. É preciso acreditar nessa possibilidade!

Precisamos viver a esperança e a caridade; a fé pode nos ajudar nessa caminhada. O ser humano é livre para fazer suas escolhas, e a fé é um ato livre, um ato de inteligência movido por nossa vontade.

Todo ser humano é capaz de ter uma ideia do transcendente e conhecer sua verdade, e de utilizar esse conhecimento para ajudar a conduzir sua vida.

Assumir a sua fé é um dever de cada fiel, que deve alimentá-la, praticando-a, lendo seus livros sagrados e conhecendo suas tradições religiosas.

A esperança e a caridade são tão necessárias quanto a fé. A primeira nos faz confiar no Criador e ser perseverantes na oração, esforçando-nos para que a cada dia sejamos melhores. A segunda é a mais bela de todas as virtudes: ela se fundamenta na bondade, no amor que dedicamos ao Criador e ao próximo.

➤ No mundo todo, diariamente, muitas pessoas se dedicam a ajudar aqueles que estão em situação de necessidade, seja doando alimentos, roupas, seja dando carinho ou atenção. O importante é fazer o bem ao próximo, sem distinção ou qualquer tipo de preconceito.

Vamos refletir... propagandas, tecnologias e todas as modernidades e invenções não teriam sentido se não cultivássemos virtudes como fé, esperança e caridade, que aquecem o nosso coração e iluminam o nosso viver!

Saiba mais

Monoteísmo e politeísmo

Desde os tempos mais remotos, os grupos humanos tiveram crenças.

Grande parte dos ensinamentos dessas crenças foi transmitida oralmente, de geração para geração. Só com o aparecimento da escrita é que surgiram os livros sagrados, que traziam os ensinamentos religiosos registrados.

Todas as religiões ensinam valores positivos, como solidariedade e fraternidade, sejam elas monoteístas ou politeístas.

Algumas religiões monoteístas são: o cristianismo, o judaísmo e o islamismo. Seus seguidores acreditam em um só Deus, que é onipotente, onisciente e onipresente.

Ser onipotente significa que Deus é infinitamente poderoso, capaz de realizar tudo; assim, Ele participa em todos os aspectos da vida terrena, protegendo Sua criação.

Afirmar que Deus é onisciente significa que Ele tem a capacidade de saber tudo: os pensamentos, os sentimentos, e até mesmo o passado, o presente e o futuro; saber da vida, da morte e de tudo no Universo.

Deus é onipresente, pois pode estar em todos os lugares ao mesmo tempo; é a presença divina em todos os pontos do Universo. Essas qualidades são tão absolutas que só podem ser atribuídas a uma divindade suprema.

As religiões politeístas creem em mais de uma divindade, mas entre elas quase sempre há um deus supremo, como Tupã para os indígenas Guaranis. Para os gregos antigos, o deus supremo era Zeus. Já para os hindus, o deus supremo é Brahma.

Para realizar cultos e orações dedicados a esses deuses, são construídos os lugares sagrados, como as casas de oração, igrejas, sinagogas e mesquitas.

Entretanto, para fazermos as nossas orações, não precisamos de um lugar especial. Basta elevar o pensamento à divindade na qual cremos, seja em pé, ajoelhado, em voz alta ou em pensamento, sozinho ou acompanhado. O que é preciso é ter fé, não importa a religião, nem o local.

Jesterpop/Shutterstock

● Estátua de Poseidon, deus grego dos mares, localizada em de Hua Hin, na Tailândia. Na Antiguidade, era comum que marinheiros visitassem o templo de Poseidon para pedir bênçãos e ajuda durante as navegações.

Atividades

1 Leia o texto abaixo.

O Criador nos deu inteligência e capacidade de fazer escolhas: podemos escolher que religião seguir, que profissão exercer, que lugares frequentar. Isso se chama **livre-arbítrio**. Exercendo essa liberdade, todos nós direcionamos as escolhas que fazemos de acordo com nossas aptidões naturais. Mas não se esqueça: nossa maior vocação é viver com amor.

Texto elaborado pelas autoras especialmente para esta obra.

- Agora, pense sobre isso e escreva o que você deseja ser. Escreva também o porquê dessa escolha e o que fará para que ela ajude a transformar o que está ao seu redor.

....
....
....
....
....

2 Em grupo, procurem em jornais e revistas exemplos de ações humanitárias. Juntem os artigos e façam um mural coletivo.

Vocês também podem criar frases para mostrar quanto as ações humanitárias contribuem para a construção de um mundo melhor.

3 Leia o texto e descubra algumas invenções incríveis.

"Temos aqui *cases* de sucesso como a boia espaguete, que está no dia a dia de todo mundo; a maca para animais que pensa na acessibilidade e na deficiência de cachorros que estão com a pata machucada ou que têm alguma doença; e uma leitora que segura o livro para você", citou Marina Santino, educadora do museu [...]

Com novo visual, Museu das Invenções terá visitas guiadas em janeiro. **Inventolândia**. Disponível em: <www.museudasinvencoes.com.br/com-novo-visual-museu-das-invencoes-tera-visitas-guiadas-em-janeiro/>. Acesso em: 8 jun. 2020.

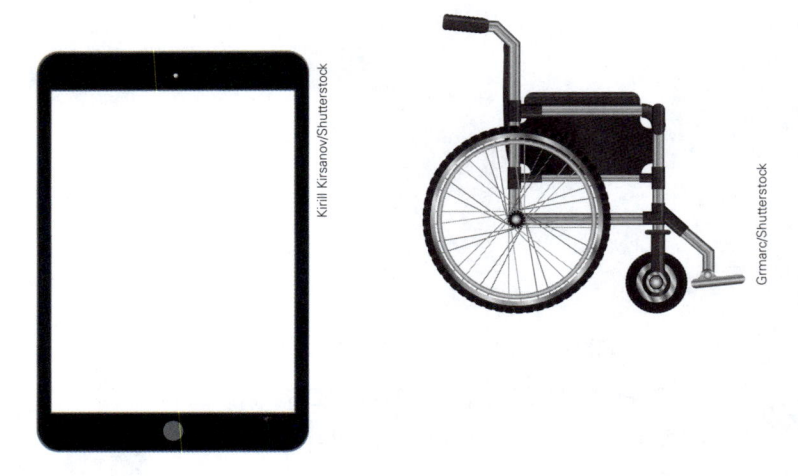

- Agora, pense em algo inovador e criativo que possa contribuir para facilitar a vida das pessoas e desenhe sua invenção em uma folha avulsa.

- Lembre-se de escrever o nome da sua invenção e o que ela faz.

- Depois, com auxílio do professor, montem um mural com as invenções de todos.

VOCÊ EM AÇÃO

Tecnologia e boas ações

Nesta era digital, entre uma invenção e outra, encontramos muitas situações em que há amor, solidariedade e respeito.

Porém, existem situações em que há conflitos, dor, injustiça e guerras.

Estamos no século XXI; crianças, adolescentes, jovens e adultos estão ligados na tecnologia. Hoje pesquisamos na internet, gravamos vídeos, criamos textos e compartilhamos informações nas redes sociais. *Notebooks*, *tablets* e *smartphones* podem contribuir muito para nossa qualidade de vida: basta saber usar.

1 Que tal criar um *blog* da turma sobre ensino religioso? Nele vocês poderão:

- publicar mensagens de solidariedade e motivacionais;
- replicar notícias confiáveis e eventos de diversas tradições religiosas;
- trocar ideias com o professor e demais colegas;
- marcar encontros em grupos para visitar lugares sagrados;
- trocar informações com colegas da turma para elaborar trabalhos em grupo.

Atenção: lembrem-se de que é importante criar regras para o uso do *blog*.

2 Escreva abaixo suas ideias e sugestões para o *blog*. Depois, converse sobre elas com os colegas e planejem coletivamente a criação do *blog*. Será muito divertido e desafiador!

....

....

....

6 A FORÇA DOS POVOS

> A melhor religião é aquela que te faz melhor, mais sensível, mais desapegado, mais amoroso, mais humanitário e mais responsável.
>
> **Dalai Lama**

A espiritualidade continua sendo uma busca constante do ser humano.

Uma profunda aspiração para estabelecer um relacionamento com o Criador, a natureza e consigo mesmo.

Essa busca está relacionada ao que está dentro de nosso coração. É uma constante aproximação com a nossa fé; é encontrar uma plenitude na relação com o transcendente, para ter força e coragem para transformar.

Muitas são as religiões, as divindades e as maneiras de orar aos deuses. Nenhuma religião é melhor que outra. O que importa não é a religião que seguimos: é a fé que temos no coração.

Um povo mais sensível, desapegado, amoroso e responsável é aberto a mudanças e comprometido com a sociedade. Como exemplo, podemos citar a Jornada Mundial da Juventude (JMJ), realizada no Rio de Janeiro em 2013, com o propósito de mobilizar os jovens católicos de todos os países para a conquista de um mundo mais justo, sem violência nem fome; um mundo mais forte, mais humano e com mais amor.

Muitas outras manifestações de pessoas comprometidas com um mundo melhor são realizadas. Um exemplo é a Marcha para Jesus, que reúne milhares de jovens evangélicos e em que ocorrem cultos festivos com bandas gospel, pregações e muito louvor a Deus. Todos empenhados em um só desejo: buscar a justiça e a paz.

A JMJ 2013 contou com a participação de mais de 3,7 milhões de pessoas de 175 países.

- Cite exemplos de como os povos podem se unir em prol de um bem maior.

2 Marque com um **X** as frases que estão corretas.

☐ Desenvolver a espiritualidade melhora nossa relação com o mundo.

☐ Todas as religiões são boas.

☐ Só existe uma religião verdadeira.

☐ O ser humano não se relaciona com outros seres.

☐ A melhor religião é aquela que nos torna pessoas melhores.

☐ Só podemos seguir a religião de nossos pais.

3 Leia o que diz o artigo 18 da Declaração dos Direitos Humanos:

Toda pessoa tem direito à liberdade de pensamento, de consciência e de religião [...].

Declaração Universal dos Direitos Humanos. Disponível em: <www.ohchr.org/EN/UDHR/Pages/Language.aspx?LangID=por>. Acesso em: 8 jun. 2020.

- Agora, escreva o que você entendeu desse artigo.

_____
_____
_____
_____
_____

4 Entreviste duas pessoas para completar os quadros abaixo, e descubra qual é o sentimento delas sobre a união dos povos.

Nome: ....

Idade: .... Profissão: ....

Você segue alguma religião? Qual?: ....

Você conhece algum conflito entre povos por causa de terras ou religião? O que pensa sobre ele?

....

....

Que mensagem você mandaria para os povos envolvidos nesses conflitos?

....

Nome: ....

Idade: .... Profissão: ....

Você segue alguma religião? Qual?: ....

Você conhece algum conflito entre povos por causa de terras ou religião? O que pensa sobre ele?

....

....

Que mensagem você mandaria para os povos envolvidos nesses conflitos?

....

5 Em pleno século XXI, infelizmente ainda há povos que se desentendem por disputas de territórios ou questões religiosas. São conflitos que duram décadas, mesmo com a intermediação de órgãos governamentais e não governamentais para buscar soluções e negociações de paz.

Em 2019, Donald Trump, presidente dos Estados Unidos, e Kim Jong-un, líder da Coreia do Norte, se reuniram para discutir um possível acordo sobre o programa nuclear norte-coreano que constantemente causa tensões diplomáticas.

Observe a imagem acima e, em seguida, escreva uma oração pela paz entre os povos que vivem em conflito.

....
....
....
....
....
....
....

6 Procure na internet ou em jornais as notícias mais atuais sobre os conflitos religiosos para debater com os colegas e o professor na próxima aula.

7 Faça a atividade *Bingo solidário* da **página 9** do **Caderno de criatividade e alegria**.

O TEMA É...

Paz no mundo

A realização do sonho de que diferentes países e diferentes religiões possam viver em paz é possível quando acreditamos nele.

Para que as guerras e conflitos terminem, o primeiro passo necessário é que os governantes sentem juntos, deixem de lado posturas intransigentes, busquem ver a questão pela perspectiva uns dos outros e compreender que precisam chegar a um acordo. Somente assim conseguirão atender aos anseios da população, que almeja a paz.

● Abdul Ghani Baradar, co-fundador do grupo Talibã, e Zalmay Khalilzad, representante especial dos Estados Unidos para a reconciliação do Afeganistão, apertam as mãos enquanto trocam documentos do acordo de paz durante a cerimônia de assinatura em Doha, Catar, em 2020.

O ser humano precisa desenvolver a consciência de que uma vida digna para todos só será possível se a virtude, a moral e a ética forem a base da sociedade. Precisamos nos curar do medo, do egoísmo, do orgulho, da ambição, que são sentimentos nascidos da fraqueza e das faltas humanas.

A Palavra de Deus pode nos iluminar nesse caminho. Muitas vezes, o ser humano se depara com situações que o deixam inseguro para tomar decisões difíceis. Nesses momentos, ele precisa estar atento para que seja justo e bom: deve refletir sobre seus atos, ter prudência e pedir conselhos.

Quando há amor, não há ganância, egoísmo nem guerras. Quando sonhamos com a paz precisamos lutar por ela.

Estas regras também podem ajudar:

> Nunca é permitido praticar um mal para que dele resulte um bem.
>
> Catecismo da Igreja Católica, n. 1756

> Portanto, tudo aquilo que quereis que os homens vos façam, fazei-o vós a eles.
>
> Mateus 7,12

> O amor [...] não busca seu próprio interesse [...].
>
> 1ª Carta aos Coríntios 13,5

> É melhor abster-se de [...] qualquer coisa que possa fazer o teu irmão tropeçar.
>
> Carta aos Romanos 14,21

1 Qual a importância da união entre os povos?

....

....

2 O que ajuda um povo a ter uma vida de diálogo e respeito?

....

....

3 Você acredita que um dia haverá paz entre os povos? Por quê?

....

....

7 CONHECER PARA AMAR E RESPEITAR

Todas as religiões devem respeitar seguidores de outras crenças, desejar a união da humanidade, pregar o amor ao próximo, lutar contra a desigualdade e as injustiças e conviver com amizade.

Leia o texto a seguir.

Jesus vai ao estádio

Jesus Cristo nos disse que nunca havia visto uma partida de futebol. Então meus amigos e eu o levamos para que assistisse a um jogo. Foi uma batalha tremenda entre os "Punchers" protestantes e os "Crusaders" católicos.

Quem marcou primeiro foram os "Crusaders". Jesus aplaudiu alegremente e jogou para cima seu boné.

Depois os "Punchers" marcaram, e Jesus voltou a aplaudir entusiasmado e novamente seu boné voou pelo ar.

Isso parecia confundir um homem que estava atrás de nós. Então ele deu um tapinha no ombro de Jesus e perguntou-lhe:

— Para que time você está torcendo, cara?

— Eu? — respondeu Jesus visivelmente animado pelo jogo. — Ah! Eu não torço por nenhum time, apenas desfruto o jogo.

O homem voltou-se para seu vizinho de arquibancada e, fazendo um gesto de desagrado, cochichou-lhe:

— Hum... um ateu!

Ao voltarmos, informamos Jesus da situação religiosa do mundo atual, dizendo:

— É curioso o que acontece com as pessoas religiosas, Senhor. Sempre parecem pensar que Deus está a seu lado e contra os do outro grupo.

Jesus concordou:

— É por isso que eu apoio não as religiões, mas sim as pessoas. Estas são mais importantes que as religiões; o homem é mais importante que o sábado.

Então um dos nossos disse a Jesus:

— O Senhor deveria ter mais cuidado com o que diz, pois já foi crucificado uma vez por dizer coisas semelhantes, o Senhor se lembra?

E Jesus respondeu com um sorriso irônico:

— E exatamente por pessoas religiosas.

Iniciação aos valores: leituras e dinâmicas, de Milagros Moleiro. São Paulo: Paulus, 2004. p. 89-90.

- Converse com os colegas e reflitam sobre a mensagem do texto.

Conhecer os outros

Jesus Cristo veio à Terra para falar de amor. Ele não deixou nenhum escrito, mas seus ensinamentos foram registrados nos Evangelhos, livros da Bíblia que narram a vida, a morte e a ressurreição de Cristo e trazem mensagens de fé para as comunidades cristãs.

Os Evangelhos só foram registrados por escrito alguns anos após a ressurreição de Jesus. A princípio, os discípulos de Jesus usavam da tradição oral para dar testemunho dos ensinamentos dele, contando suas parábolas e os fatos ocorridos durante sua vida terrena.

Os evangelistas, autores dos Evangelhos, pretendiam servir às comunidades cristãs aprofundando a fé no Cristo; os Evangelhos baseiam-se nesse compromisso com a fé cristã, buscando responder perguntas das comunidades e iluminar a caminhada dos cristãos.

Detalhe de mosaico na Igreja do Sagrado Coração, em Sydney, na Austrália, representando o momento em que Jesus encontra as mulheres de Jerusalém enquanto carrega a cruz a caminho do Calvário, onde será crucificado.

Para os cristãos, os Evangelhos são inspirados por Deus: são Sua palavra. Eles narram a vida de Jesus e sua existência divina após a ressurreição.

Maomé, o líder do islamismo, foi o profeta que transmitiu aos muçulmanos as mensagens de Alá (Deus). Essas mensagens estão registradas no Alcorão. Para eles, Abraão, Moisés e Jesus também são profetas.

No judaísmo, profetas como Moisés, Jeremias e Isaías receberam a missão de conduzir o povo no caminho de Deus.

Os profetas falavam por inspiração divina ou em nome de Deus. Eles eram vistos como instrumentos divinos, capazes de falar do passado, do presente e do futuro. Para as religiões islâmica, judaica, cristã e muitas outras, os profetas são considerados mensageiros de grande importância e valor. São pessoas que foram chamadas por Deus para representá-Lo e dar testemunho.

● Representação do profeta Maomé feita no século XVI. Maomé é a figura sem rosto. A maioria dos islâmicos evita representar Maomé por considerar que só Deus deve ser adorado.

Essas religiões consideram que o transcendente chamou e ainda chama profetas para dar testemunho, anunciar o seu nome e conduzir o ser humano para o bem.

O budismo é a quinta maior religião em número de seguidores.

Sidarta Gautama, o Buda, foi um príncipe que escolheu viver de forma simples para realizar seu propósito de libertar o ser humano de todo sofrimento. Os budistas acreditam que, para alcançar paz, precisam se libertar do egoísmo e viver sem violência.

Existem muitas outras religiões e crenças que também buscam uma divindade, um Ser Superior, que possa ajudar o ser humano a viver melhor.

● Uma das representações de Buda, no templo Mahabodhi, na Índia.

É importante conhecer a riqueza que há em cada segmento religioso e ver que todos buscam uma forma de amar, de se relacionar com o transcendente: de ouvir os ensinamentos de Jesus Cristo por meio dos Evangelhos, de seguir os profetas Moisés, Jeremias e Isaías, de aprender com Buda a alcançar a paz e viver sem violência, de aprender a meditar para encontrar a sabedoria, de fazer o bem mesmo que nos façam mal.

Saiba mais

Empatia

É importante refletir sobre o valor de conhecer o outro; somente assim poderemos oferecer amor, respeito e ajuda quando necessário. Conhecer os outros – personalidade, gostos, família e atitudes – é aprender a descobrir um tesouro em cada pessoa: compreender suas qualidades e dificuldades e tocar o seu coração.

Porém, não basta descobrir as riquezas do outro, é importante permitir que o outro também nos conheça. É preciso deixar a preguiça de lado e investir no encontro com as pessoas ao nosso redor; é dedicando-se ao amor fraterno que todos se aproximam. É preciso mostrar nossa fé, nossa dedicação e a alegria de conhecer e se deixar conhecer.

É preciso doar-se, oferecendo um pouco de atenção, compreensão, um sorriso amigo. Todos, por mais simples e pobres que sejam, sempre têm o que oferecer: afinal, as pessoas precisam muito mais umas das outras do que de bens materiais.

Da mesma forma, é importante saber pedir e aceitar ajuda, deixando o orgulho e o egoísmo de lado, e sendo humilde para reconhecer que muitas vezes precisamos de opiniões, conselhos e carinho. Não há riqueza maior do que dividir alegrias e dores com um amigo.

Para conhecer o outro, é preciso colocar-se no lugar dele, pondo a união e a amizade em primeiro lugar. Para isso, temos que deixar de lado atitudes negativas, como brincadeiras que magoam e palavras que afastam e entristecem; e ser generosos com as tradições religiosas do outro, com suas ideias e forma de orar.

Lembrando sempre que para conhecer é preciso conhecer-se, para amar é preciso amar-se, para ser respeitado é preciso respeitar.

Atividades

1 Conhecer os problemas da sociedade torna o ser humano mais consciente e leva-o a buscar soluções. Sublinhe as frases com as quais você concorda:

- Devemos amar somente a quem nos ama.
- Devemos agir com justiça.
- Seremos felizes se pensarmos apenas em nós.
- Devemos dividir o que possuímos.

Escreva abaixo os motivos que levaram você a discordar das frases que não sublinhou.

....

....

....

....

2 Junte-se a um colega e escrevam o que acham que devemos fazer para conviver respeitosamente com as pessoas que têm religiões diferentes da nossa.

Minhas atitudes devem ser...

....

....

....

....

3 Encontre no diagrama abaixo o nome de algumas religiões ou crenças espalhadas pelo planeta.

> budismo   cristianismo   islamismo
> espiritismo   candomblé   umbanda
> hinduísmo   judaísmo   protestantismo

C	O	S	T	P	S	Z	F	Í	B	E	D	S	Ç	X	M	E	W	K	J	R
D	C	H	D	S	T	I	Á	N	I	S	M	O	B	V	K	R	S	D	L	R
U	C	I	S	T	P	H	A	F	V	M	V	C	T	C	L	I	M	B	C	
X	C	N	L	A	N	K	L	J	P	A	O	U	M	B	A	N	D	A	A	É
B	U	D	I	S	M	O	A	U	Q	R	C	M	K	O	N	T	S	Q	G	J
D	G	U	M	Q	G	S	E	D	E	G	U	N	T	M	D	H	E	W	B	C
E	T	Í	I	B	U	A	D	A	Z	B	L	Q	A	R	O	A	Q	J	X	Z
C	O	S	T	P	S	Z	F	Í	B	E	D	S	Ç	X	M	E	W	K	J	R
R	F	M	M	S	L	X	G	S	A	Q	Ã	X	Ã	M	B	R	K	H	U	Í
A	J	O	U	I	S	L	A	M	I	S	M	O	A	B	L	T	R	B	L	S
S	U	S	T	V	A	V	J	O	J	U	F	D	A	Z	É	I	C	A	C	Q
E	S	P	I	R	I	T	I	S	M	O	C	B	R	F	M	S	L	G	P	A
G	H	F	G	H	E	N	P	R	O	T	E	S	T	A	N	T	I	S	M	O
S	Z	F	Í	B	E	D	S	D	S	Ç	X	M	U	T	V	A	J	S	U	F
D	G	U	M	Q	G	S	E	D	E	G	U	N	T	M	D	H	E	W	B	C
O	E	T	I	I	B	U	C	R	I	S	T	I	A	N	I	S	M	O	R	Z
C	O	S	T	P	S	Z	F	Í	B	E	D	S	Ç	X	M	E	W	K	J	R
Z	A	X	I	W	M	O	M	C	A	N	W	U	C	Y	O	N	I	S	M	U
E	T	Í	I	B	U	A	D	A	Z	B	L	Q	A	R	O	A	W	J	X	Z
W	B	V	T	B	E	D	S	Ç	X	Ó	D	G	U	N	T	P	S	Z	A	C

VOCÊ EM AÇÃO

Festas e datas comemorativas

As festas nas tradições religiosas aproximam as pessoas, que cantam, dançam, louvam e se divertem em grupo, revivendo e fortificando sua fé e a vida em comunidade.

As festas religiosas são uma força que une, estreita laços de amizade e fé, particularmente em rituais sagrados. Elas frequentemente fazem uso de representações simbólicas, e vale a pena compreendê-las.

1 Analise o infográfico, abaixo, com os colegas.

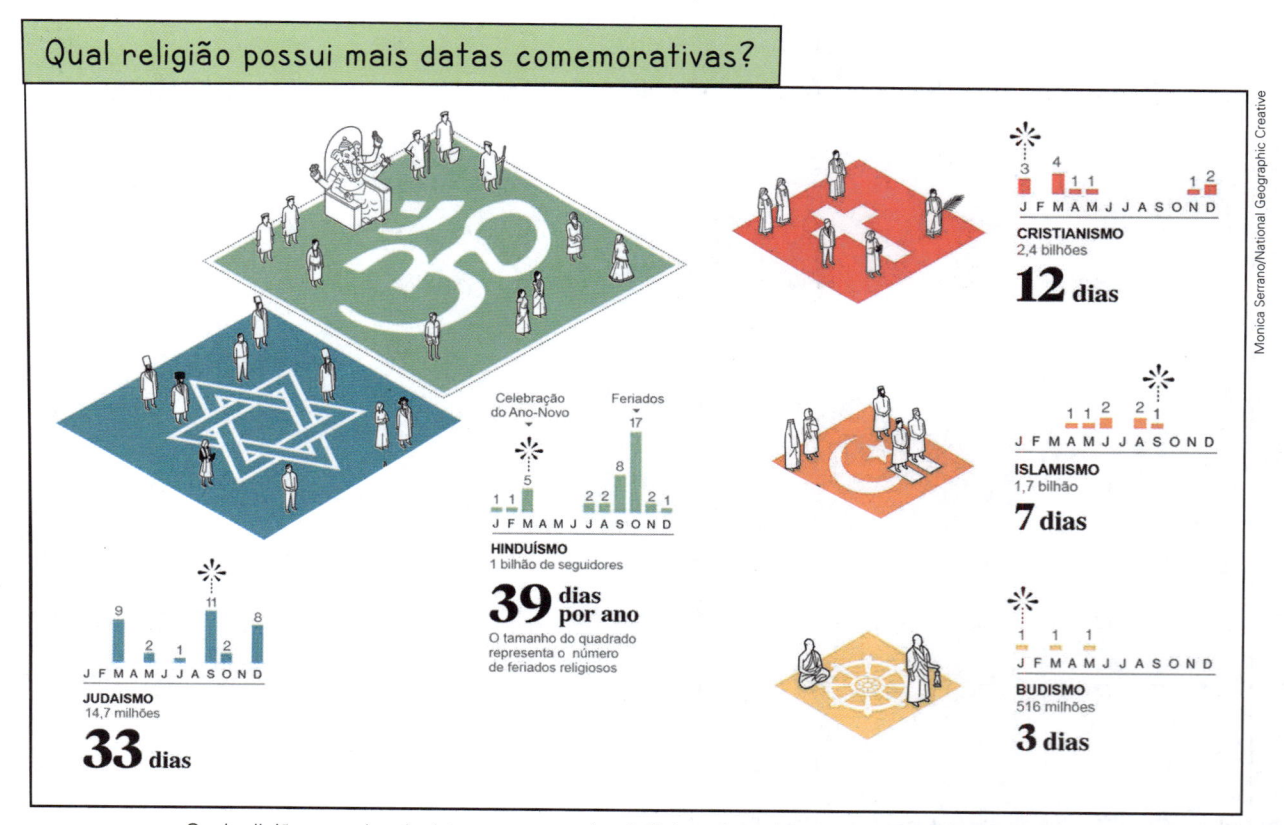

Qual religião possui mais datas comemorativas?

CRISTIANISMO
2,4 bilhões
12 dias

ISLAMISMO
1,7 bilhão
7 dias

BUDISMO
516 milhões
3 dias

HINDUÍSMO
1 bilhão de seguidores
39 dias por ano
O tamanho do quadrado representa o número de feriados religiosos

JUDAISMO
14,7 milhões
33 dias

Qual religião possui mais datas comemorativas? Elaborado com base em: **National Geographic**. Disponível em: <www.nationalgeographicbrasil.com/revista/qual-religiao-tem-mais-datas-comemorativas>. Acesso em: 22 fev. 2020.

2 Reúnam-se em grupos de quatro pessoas e façam uma pesquisa sobre festas religiosas. Vocês devem pesquisar festas de dois segmentos religiosos diferentes (como evangélico, católico, budista, judaico, islâmico, umbandista, candomblecista, entre outros) e confeccionar um painel para apresentar à turma.

8 SONHANDO COM JUSTIÇA

> De uma forma suave, você pode sacudir o mundo.
> **Mahatma Gandhi**

As leis nos orientam não só sobre nossos deveres, mas também sobre nossos direitos. Alguns desses direitos estão previstos na Declaração Universal dos Direitos Humanos, como:

Artigo I – Todos os seres humanos nascem livres e iguais em dignidade e em direitos. São dotados de razão e consciência e devem agir em relação uns aos outros com espírito de fraternidade.

Artigo II – Todo ser humano tem capacidade para gozar os direitos e as liberdades estabelecidos nesta Declaração, sem distinção de qualquer espécie, seja de raça, cor, sexo, língua, religião, opinião política ou de outra natureza, origem nacional ou social, riqueza, nascimento, ou qualquer outra condição. [...]

Artigo III – Todo ser humano tem direito à vida, à liberdade e à segurança pessoal.

Declaração Universal dos Direitos Humanos 1948. **Biblioteca Virtual de Direitos Humanos – Universidade de São Paulo**. Disponível em: <www.direitoshumanos.usp.br/>. Acesso em: 8 jun. 2020.

● Ainda existem muitas injustiças no mundo, muitas diferenças. Enquanto em alguns lugares as pessoas têm uma vida com segurança, educação, saúde...

● ... em outras partes do mundo há pessoas que mal têm o que comer ou onde morar.

Os Dez Mandamentos

Para os cristãos, a aliança entre Deus e seu povo foi feita por meio dos Dez Mandamentos, regras de conduta para uma convivência harmônica e igualitária, em que a liberdade, a vida e a dignidade estariam sempre preservadas conforme o projeto de Deus para a humanidade.

Os Mandamentos são as leis de Deus, que devem ser respeitadas e vividas por todos aqueles que aceitam a aliança com Ele. Deus revelou suas leis a Moisés no Monte Sinai, e com esse gesto firmou uma aliança com seu povo, propondo a prática do amor por meio da liberdade de escolha e da realização do bem.

● **Moisés recebendo os Dez Mandamentos no monte Sinai.** Ícone grego, de autoria desconhecida, localizado na igreja de Santo Elias, na Eslováquia.

1º Mandamento: Amar a Deus sobre todas as coisas.

Orienta os cristãos a ser monoteístas, isto é, a não servir a outras divindades, e a colocar Deus acima de tudo.

2º Mandamento: Não tomar o Seu santo nome em vão.

O nome de Deus só deve ser invocado quando o bem é praticado, e não como desculpa para quem pratica injustiças.

3º Mandamento: Guardar domingos e festas.

É o respeito ao trabalho e ao dia de descanso. É um alerta para a não exploração do trabalho do nosso próximo.

4º Mandamento: Honrar pai e mãe.

É o respeito àqueles que nos deram a vida, a quem devemos honrar e amar sempre.

5º Mandamento: Não matar.

Mostra a importância de preservar a vida – a nossa e a do próximo – como bem maior. Ao refletir sobre esse mandamento, devemos pensar também em nossa vida espiritual: não podemos deixá-la morrer, e para isso é preciso alimentá-la com a fé.

6º Mandamento: Não cometer adultério.

É um convite ao respeito à família do outro e à nossa. É lembrar que nosso corpo é o templo de Deus, que dele devemos cuidar lutando contra a destruição e a desunião familiar.

7º Mandamento: Não furtar.

Não devemos prejudicar o outro em nosso próprio benefício. É negar qualquer ato de furto.

8º Mandamento: Não levantar falso testemunho.

É não acusar sem provas, sem estar certo, sem se colocar no lugar do outro.

9º Mandamento: Não desejar a mulher do próximo.

Significa o desejo invejoso do relacionamento que o outro tem e não temos. É preciso que homens e mulheres se respeitem e respeitem os relacionamentos das outras pessoas, sem atrapalhar ou prejudicar o outro.

10º Mandamento: Não cobiçar as coisas alheias.

O 9º e o 10º Mandamentos estão relacionados, porque falam de desejos e cobiças; eles condenam qualquer atitude que envolva desejo constante daquilo que não é seu.

Os Mandamentos sugerem uma vida em que os seres humanos sejam considerados iguais; em que todos sejam vistos como irmãos; em que o culto a Deus, a preservação da família, o respeito à vida, as virtudes, o direito à verdade e à liberdade sejam o caminho escolhido por aqueles que praticam o amor.

O poder utilizado para o bem maior

O poder é importante para organizar a vida do ser humano. Como a vida das crianças, por exemplo, que precisam ser educadas e protegidas. Imagine se na sala de aula não houvesse o professor para liderar: a confusão se estabeleceria, e as crianças não saberiam o que fazer.

Todas as pessoas que possuem algum poder devem se esforçar para que ele seja exercido da forma correta. Quando o poder é utilizado para o bem de todos, ele inspira as pessoas a agirem com amor e ajudarem o próximo.

O poder existe na política, nos grupos sociais, na família, na escola, nos escritórios, nos hospitais e nas religiões. Seu abuso leva à opressão, mas é difícil negar que o poder contribui para a organização dos grupos e que as lideranças desempenham um papel importante nesse sentido. Em alguns contextos religiosos, os líderes são chamados de "ministros de Deus". A palavra *ministro* significa "servidor": aquele que serve sua comunidade, que ajuda, que defende a igualdade e o direito a ter opiniões diferentes, que incentiva a participação e o trabalho em conjunto.

Leia o trecho abaixo, sobre a sabedoria dos povos indígenas:

> Existem muitos povos, de muitas raças, falando várias línguas. Mas para eles só existe um sol, uma lua, e uma mãe terra. Somos partes um do outro, pela vontade do Grande Espírito.
>
> **Diversidade Religiosa e Direitos Humanos**. Presidência da República. Secretaria de Direitos Humanos. Brasília, 2013. p. 28.

- Em grupos de até quatro pessoas, reflitam sobre o trecho acima.

Estado laico

Estamos há mais de um século vivendo o estado laico no Brasil. Isso significa que somos uma nação imparcial. Em 1891, a Constituição republicana reconheceu a liberdade de culto, e o Estado não pôde mais interferir nas religiões.

Leia o texto abaixo.

Religião e poder

Nos grupos religiosos, [...] haverá sempre algumas pessoas [...] consagradas – com o poder sagrado de mandar nos outros. De impor normas e ditar regras para a conduta alheia. De dizer o que é certo e o que é errado, o que é bom e o que é mau, o que é obrigatório e o que é apenas conveniente. De regulamentar, com mandamentos, preceitos e conselhos, as práticas rituais e as atitudes e ações morais dos adeptos.

Se esse poder encontra pessoas dispostas a obedecer, então estamos diante de uma autoridade legítima. [...] Só é [...] autoridade o poder que não precisa apelar para o uso da força para se impor. [...]

Uma característica de toda religião é reunir pessoas, e pessoas interessadas em dar ouvidos a alguém que foi consagrado para orientar a conduta de vida dos outros enquanto representante de Deus, ou dos deuses. São pessoas dispostas a obedecer a quem está (ou se diz) investido de poder religioso.

As autoridades religiosas – sacerdote ou clérigo, profeta ou mensageiro, feiticeiro ou bruxo, pajé ou xamã, mestre ou guru, pastor ou pregador, bispo ou bispa, monge ou monja, padre ou madre, babalorixá ou mãe de santo – mandam em nome de "seres superiores" (deuses, deusas ou espíritos, dependendo do tipo de religião). Enquanto outros, que são maioria, obedecem de bom grado, ou seja, seguem regras do grupo sem serem obrigados a isso pela força física ou pela ameaça das armas. [...]

Houve um tempo [...] em que o poder religioso se confundia com o poder político, do mesmo modo que a comunidade religiosa se confundia com a comunidade política. [...] Foi assim, por exemplo, quando Moisés comandou o povo eleito formado pelas 12 tribos de Israel, e quando Maomé fundou a comunidade islâmica, que era ao mesmo tempo um Estado e uma comunidade de fé... Naqueles tempos, um povo inteiro era obrigado a seguir uma única verdade religiosa. [...]

Nos tempos modernos, porém, essas duas esferas de exercício do poder se separaram. Hoje as leis dos Estados democráticos são feitas por homens e mulheres eleitos [...].

Religião e poder, de Flávio Pierucci. **Diálogo: Religião e Cultura**. Disponível em: <www.paulinas.org.br/dialogo/pt-br/?system=paginas&action=read&id=8016&page=6>. Acesso em: 8 jun. 2020.

Saiba mais

Justiça e igualdade social

No passado, muitas pessoas que buscaram justiça, defenderam direitos humanos e falaram sobre a Palavra de Deus foram perseguidas, maltratadas e mortas. Essas pessoas foram chamadas de mártires.

E muitas foram as pessoas que dedicaram a vida à causa humanitária.

Mahatma Gandhi (1869-1948), um líder religioso hindu que também admirava Buda, Maomé e Jesus, dizia que todas as religiões são boas, porque todas trazem bons ensinamentos. Sua proposta consistia em lutar pelos direitos humanos por meio da não violência.

Martin Luther King Jr. (1929-1968), pastor protestante estadunidense, afrodescendente, também defendia a não violência e promovia protestos de desobediência civil contra o preconceito. Sonhava com a igualdade entre os povos. Recebeu o prêmio Nobel da Paz em 1964.

Gandhi marchava pela paz e promovia ações de desobediência civil, forma de protesto contra leis consideradas injustas. Foto tirada por volta de 1925, na Índia.

A irmã Dorothy Stang (1931-2005), missionária estadunidense naturalizada brasileira, esteve presente na região amazônica do Brasil desde a década de 1970. Suas atividades visavam à geração de emprego e renda relacionados ao reflorestamento próximo à rodovia Transamazônica e à redução dos conflitos por posse e exploração de terra na região.

Como grandes defensores dos mais pobres, podemos relembrar ainda Madre Teresa de Calcutá, Chico Mendes e Herbert de Souza, o Betinho.

Como eles, nós também precisamos acreditar na paz e buscá-la, além de mudar de atitude perante os problemas, para construir um mundo novo, um mundo justo. A humanidade precisa viver o amor e acreditar que ser feliz é possível, levando boas mensagens para a humanidade e realizando boas ações.

A vida e o martírio da irmã Dorothy continuam a inspirar muitas pessoas a dedicarem suas vidas à proteção da floresta e dos povos da região amazônica. Foto tirada em Anapu (PA), em 2005.

Atividades

1 Vamos fazer mensagens de incentivo para todas as idades.

A caixa deverá conter mensagens de amor, dignidade, liberdade, honra, instrução, justiça, respeito, saúde, direitos, deveres, amizade, perseverança, solidariedade, fé e paz.

a) Decore uma caixinha e escreva nela: Mensagens de incentivo.

b) Depois escreva suas mensagens e coloque-as na caixinha.

c) Presenteie alguém que você ama. Diga a essa pessoa que as mensagens são para fortalecer a vida e ajudar a conquistar a justiça e a paz.

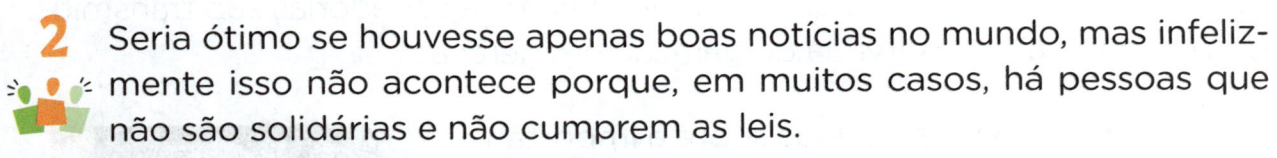

2 Seria ótimo se houvesse apenas boas notícias no mundo, mas infelizmente isso não acontece porque, em muitos casos, há pessoas que não são solidárias e não cumprem as leis.

Em grupo, pesquisem imagens em jornais, revistas ou na internet que demonstrem que os seres humanos não estão cumprindo as leis. Depois, façam uma colagem com cenas para apresentar aos outros grupos.

Durante a apresentação, conversem sobre o que poderia ser feito para que essas situações não acontecessem mais e registrem as conclusões da turma no espaço abaixo.

....

....

....

....

....

O TEMA É...

Poder, palavra e cultura para os Bororo

Para o povo indígena Bororo, que vive no estado no Mato Grosso, o poder está organizado da seguinte maneira: o *Boe eimejera*, chefe da guerra, da aldeia e do cerimonial; o *Bári*, xamã dos espíritos da natureza; e o *Aroe Etawarare*, xamã das almas dos mortos. Atualmente, há ainda a figura do *Brae eimejera*, o chefe que dialoga com os não indígenas.

Os rituais e a cultura oral são formas de reafirmar a autonomia desse povo e resguardar sua tradição.

Para muitas culturas indígenas, a palavra é poderosa, pois é por meio da oralidade e não da escrita que os ensinamentos e sabedorias são transmitidos e a cultura é preservada de geração em geração.

1 Converse com os colegas sobre a importância da preservação da cultura oral.

Os Bororo possuem três ritos principais, chamados de ritos de passagem. São eles: nominação, iniciação e funeral.

O rito de iniciação dos meninos e o rito funerário, por exemplo, acontecem na mesma época, em conjunto, como uma maneira de celebrar a vida. O rito funerário é dividido nas seguintes etapas:

O moribundo

Quando o xamã identifica que uma pessoa está prestes a morrer, o ritual funerário começa. O corpo do moribundo é pintado com urucum e enfeitado com penas enquanto cânticos são entoados.

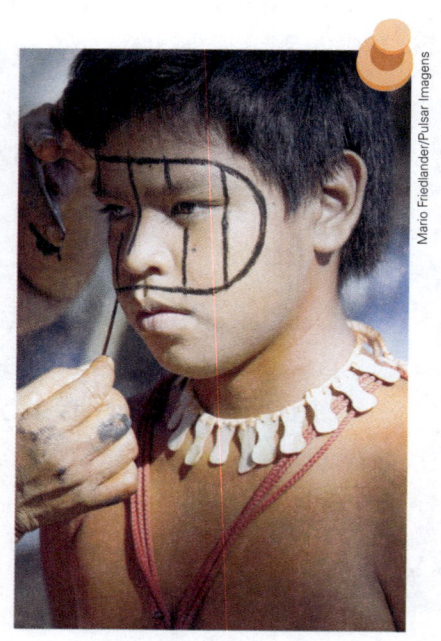

Menino Bororo recebendo pinturas corporais para participar do ritual fúnebre na aldeia Meruri, em General Carneiro (MT), em 2015.

O primeiro enterro

O rosto do morto é coberto, para que nem as mulheres nem as crianças possam vê-lo, agora que se transformou em espírito (*aroe*).

O corpo é enrolado em uma esteira e enterrado no centro da aldeia, com o rosto virado para o lado em que o Sol se põe.

Após o enterro, tem início o ritual de iniciação dos rapazes (*aije*), que dura dois ou três meses. É a partir desse ritual que os jovens terão acesso aos segredos do mundo ancestral e poderão se casar com uma mulher de um clã diferente do seu e ter filhos.

A exumação

No dia seguinte do *aije*, os restos mortais são retirados da cova e os ossos são lavados nas águas de um rio pelo *aroe maiwu*, o representante do falecido, que receberá presentes da família enlutada e terá a possibilidade de casar-se com uma mulher do clã do morto.

A partir daí, serão três dias de rituais, com muita música e dança. Enquanto dança, o *aroe maiwu* carrega consigo algum objeto que pertencia ao morto. Este ponto de contato entre o representante e o morto (simbolizado no objeto) demonstra o elo ali consagrado.

A ornamentação

Os ossos do morto são tingidos e colocados em um cesto, para serem transformados em alma. O *aroe etawarare*, xamã das almas, evoca todas almas para que ajudem o espírito do falecido a entrar na aldeia dos mortos.

O *aroe maiwu* é o responsável por levar o cesto com os ossos ao rio para o sepultamento final, momento em que ele é perfurado e afunda.

Mori ou a vingança do morto

O ritual fúnebre termina quando *aroe maiwu* caça e abate um grande felino, representando o resgate da vida. Depois, o couro do felino é ofertado aos parentes masculinos do morto, enquanto os dentes são entregues às mulheres em luto. Esses adornos representam uma retribuição que o finado presta, por meio de seu representante, pelos serviços funerários.

Bororos usam adereços de penas para participar de ritual fúnebre na Aldeia Garças, em General Carneiro (MT), em 2014.

2 Formem grupos e pesquisem como são os rituais de passagem de outras tradições religiosas, como o budismo, o hinduísmo, o catolicismo, o judaísmo, etc.

UNIDADE 3

SOMOS RESPONSÁVEIS

⊱ Entre nesta roda ⊰

- Observe a cena e converse com os colegas sobre o que cada criança está fazendo.

- Em sua moradia, você é responsável por quais tarefas?

- Você acha que também somos responsáveis pelo nosso entorno, pelas pessoas com quem nos relacionamos e por nossas ações? Por quê?

⊱ Nesta Unidade vamos estudar... ⊰

- Crescimento e amadurecimento
- Participação e compromisso
- Solidariedade e boas ações
- A beleza da criação

75

9 CRESCER PLENAMENTE

> Deus colocou no coração do homem a regra de toda a verdadeira justiça, pelo desejo de cada um de ver seus direitos respeitados.
>
> **Allan Kardec**

Passamos por muitas fases durante a vida e, muitas vezes, não encontramos respostas para nossas dúvidas.

Na infância, recebemos os primeiros ensinamentos, desenvolvemos as nossas habilidades e aprendemos a nos relacionar com as outras pessoas.

Na adolescência, amadurecemos a inteligência, formamos nosso caráter e aprendemos a ser responsáveis por nossas ações.

A idade adulta é a etapa de realizações pessoais e profissionais. Com o amadurecimento, aprendemos a superar egoísmos e a viver o amor.

A velhice é a idade da sabedoria e da experiência dos anos vividos. Tempo de transmitir ensinamentos aos mais jovens, de viver com alegria, de ser respeitado e muito amado.

Crescer plenamente é viver intensamente cada etapa da vida, respeitando os direitos do outro. É buscar respostas para nossas perguntas e transmitir amor para aqueles que nos cercam.

SOU GRANDE OU PEQUENO?

ESTOU CRESCENDO PLENAMENTE, DE CORPO, ALMA E MENTE?

- Converse com os colegas e citem alguns exemplos de responsabilidades de cada etapa da vida: infância, adolescência, idade adulta e velhice.

Leia o texto a seguir.

Pequena ou grande?

Era uma vez uma menina. Não era uma menina deste tamanhinho. Mas também não era uma menina deste tamanhão. Era uma menina assim mais ou menos de seu tamanho. E muitas vezes ela tinha vontade de saber que tamanho era esse, afinal de contas. Porque tinha dias que a mãe dela dizia assim:

– Helena, você já está muito grande para fazer uma coisa dessas. Onde já se viu uma menina do seu tamanho chegar em casa assim tão suja de ficar brincando na lama? Venha logo se lavar.

Então ela achava que já era bem grande.

Mas às vezes também o pai dela dizia assim:

– Helena, você ainda é muito pequenininha para fazer uma coisa dessas. Onde já se viu uma menina do seu tamanho ficar brincando num galho de árvore tão alto assim? Desça já daí. Senão, você pode cair.

Aí Helena achava que ela era mesmo bebezinha que não podia fazer nada sozinha.

E era sempre assim. Na hora de ir ajudar no trabalho da roça, ela era bem grande. Na hora de ir tomar banho no rio e nadar no lugar mais fundo, ela ainda era muito pequena. Na hora em que os grandes ficavam de noite conversando no terreiro até tarde, ela era pequena e tinha que ir dormir. Na hora em que espetava o pé com um espinho e queria ficar chorando no colo de alguém, só com dengo e carinho, sempre diziam que ela já estava muito grande para ficar fazendo manha. Se ela tivesse um espelho mágico, que nem a rainha madrasta da Branca de Neve, bem que podia perguntar:

– Espelho meu, espelho meu, que tamanho tenho eu?

Bem do teu tamanho, de Ana Maria Machado. Rio de Janeiro: Brasil-América (Ebal), 1987. p. 5-6.

- Compartilhe com os colegas situações semelhantes às apresentadas no texto que você tenha vivenciado.

Direitos, deveres, responsabilidades

Não só os adultos têm direitos e deveres: as crianças e os adolescentes também têm. Eles precisam de cuidados, carinho e proteção específicos. Por isso, em 20 de novembro de 1989 muitos países aprovaram a Convenção sobre os Direitos da Criança. Ela afirma que toda criança deve se desenvolver feliz, saudável e com dignidade, tendo direito a educação, segurança e cuidados de seus pais ou responsáveis. Afirma também que todas as crianças devem ser protegidas de ações de exploração e discriminação.

É bom saber que a humanidade assume compromisso com o futuro que se encontra nas mãos das crianças, protegendo-as e amando-as.

Essa Convenção estabelece, por exemplo:

Que toda criança deve ser protegida da violência doméstica.

Que todas as crianças têm os mesmos direitos, não importando cor, raça, sexo, religião, origem social ou nacionalidade.

Que todas as crianças têm direito a alimentação e atendimento médico, antes e depois de seu nascimento; direito que também se aplica a suas mães.

Que todas as crianças devem crescer em ambiente de amor e compreensão.

Que todas as crianças têm direito à educação e ao lazer.

Que todas as crianças devem ser protegidas contra o abandono e a exploração no trabalho.

Agora que você conhece um pouco dos seus direitos, não se esqueça de que também tem deveres. Sabendo deles, você cresce com responsabilidade e desenvolve um bom comportamento. Veja alguns de seus deveres:

- estudar e fazer sua lição de casa.

- colaborar com as tarefas da casa, arrumando seu quarto, seus livros e brinquedos, cuidando do animal de estimação, ajudando a pôr a mesa, etc.

- valorizar sua família, que é responsável por muitas coisas boas em sua vida. Família é um grupo de pessoas que se apoiam, aconselham e dividem amor, cuidado, carinho, alegrias e tristezas; um conjunto de pessoas que podem ou não ser ligadas por laços de parentesco e que podem ou não viver sob o mesmo teto.

- respeitar as pessoas idosas e, quando possível, ajudá-las; ceder seu lugar a elas e tratá-las com atenção e carinho.

As pessoas idosas também têm direitos específicos garantidos no Estatuto do Idoso, como prioridade no atendimento em locais públicos ou privados, descontos nos ingressos de eventos artísticos e culturais, gratuidade nos transportes coletivos públicos para as pessoas acima de 65 anos, entre outros.

As crianças e os adolescentes têm um mundo a conquistar: as famílias representam a força que os ajuda a crescer, compartilhar e amar.

Sabedoria

> Rogo-vos, irmãos, em nome de nosso senhor Jesus Cristo, que todos estejam em pleno acordo e que não haja entre vós divisões. Vivei em boa harmonia, no mesmo espírito e no mesmo sentimento.
>
> 1ª Carta aos Coríntios 1,10

Cada criança é única e precisa viver com sabedoria e conhecimento para crescer plenamente.

Sabedoria é o dom de usar a inteligência com amor na construção de uma vida saudável e feliz.

O ser humano precisa crescer com o coração aberto para a vida, para a natureza, para o amor e para toda a humanidade.

Precisa conquistar aquilo com que sonha, valorizar o que possui e reparti-lo com o próximo.

Precisa conhecer a paz, buscar a alegria, conquistar a amizade e a justiça e ter um coração sábio e bom. Seguindo esses preceitos, você crescerá forte, seguro e capaz de construir um mundo melhor.

Alunos durante aula de Felicidade, em Délhi, na Índia, em 2020. O sistema educacional na Índia é bastante rígido e, em 2018, aulas de Felicidade foram inseridas no currículo escolar. O dia começa com 30 minutos de atividades como ioga, meditação, ética e música, visando à formação humana dos alunos.

- Depois de ler o texto, forme grupos de, no máximo, quatro pessoas, e conversem sobre as seguintes questões:

    a) Qual é a diferença entre sabedoria e inteligência?

    b) O que significa a expressão "coração aberto"?

Atividades

1 À medida que crescemos, vamos adquirindo amadurecimento.

A cada dia que passa, crescemos, amadurecemos e buscamos respostas nas religiões para muitas perguntas. Mas de que maneiras podemos sentir a presença do Criador em nossa vida?

Marque com **X** as frases que podem nos ajudar em nosso desenvolvimento pleno.

- [ ] Ser egoísta e mal-humorado.
- [ ] Tomar decisões livres de preconceitos.
- [ ] Ser otimista e ter fé.
- [ ] Relacionar-se com Deus.
- [ ] Insultar pessoas.
- [ ] Aceitar e respeitar os outros.
- [ ] Amar ao próximo e aceitar as próprias limitações.
- [ ] Guardar mágoas e ressentimentos.

2 Na sua opinião, como as crianças devem crescer?

....

....

....

....

....

3 Para amar ao próximo, ser solidário e compreensivo, é preciso primeiramente conhecer a si próprio. Você se conhece bem? Monte o seu perfil e descreva:

a) seu modo de ser.

....

....

....

b) suas características físicas.

....

....

....

c) seus desejos para o futuro.

....

....

....

....

- Forme uma roda de conversa e compartilhe com os colegas quais são seus desejos para o futuro.

4 Quais profissões você tem interesse de exercer quando for adulto? Com auxílio dos pais ou responsáveis, faça uma pesquisa e registre as informações no caderno para compartilhar com os colegas na sala de aula.

VOCÊ EM AÇÃO

Cuidando da escola

Crescer plenamente é também aprender a ser cuidadoso e organizado.

No Japão, os alunos, além de aprender Matemática e Ciências, são responsáveis pela limpeza das salas de aula e de outros ambientes escolares, assim tornam-se cidadãos conscientes, pois aprendem a cuidar dos espaços públicos e a respeitar e preservar o que é de todos.

Promovam um dia da limpeza na sala de aula.

Alunos do ensino fundamental limpando sala de aula em Tóquio, no Japão, em 2016. A limpeza é realizada pela manhã e depois do almoço.

1. Com a ajuda do professor, reúnam-se em grupos com até cinco alunos.

2. Combinem o que cada grupo pode trazer ou fazer para deixar a sala de aula mais limpa e organizada. Por exemplo, etiquetar pastas, organizar os armários, colocar mais uma lixeira, etc.

3. Um grupo pode ficar encarregado de trazer produtos de limpeza, como álcool e limpador multiuso; outro grupo pode organizar-se para trazer esponjas e luvas de borracha; o outro pode trazer panos de limpeza, vassouras, sacos de lixo.

4. Limpem as carteiras, organizem os livros e papéis dentro de armários, joguem toda a sujeira no lixo. Feito isso, você e os colegas se comprometem a cuidar com carinho da sala de aula, sem riscar as carteiras nem jogar papel no chão.

10 AMADURECIMENTO E RESPONSABILIDADES

> O impossível torna-se possível com a força de vontade.
>
> **Dalai Lama**

Você já deve ter notado que, conforme crescemos, nossas responsabilidades aumentam.

Por exemplo, aos 4 anos, as crianças têm poucas responsabilidades, como guardar os brinquedos depois de usá-los. Aos 11, precisam ser responsáveis por seus pertences, por participar da limpeza e organização de suas moradias, por realizar as tarefas escolares, etc. Na fase adulta, o trabalho é uma das principais responsabilidades.

Além disso, é preciso nos responsabilizarmos pelo que falamos, por nossas decisões e escolhas e pelo que fazemos. Afinal, temos responsabilidade para com o mundo à nossa volta.

Leia a tirinha abaixo.

Família em tiras, **Gazeta do Povo**. Disponível em: <www.semprefamilia.com.br/blogs/familia-em-tiras/eu-preciso-ter-responsabilidade/>. Acesso em: 2 jun. 2020.

- Converse com os colegas e responda:

    a) O que é ser responsável?

    b) Você acha que devemos ter responsabilidade todos os dias? Por quê?

    c) Como a escola pode ajudar a desenvolver o senso de responsabilidade?

Responsabilidade

É nossa responsabilidade identificar atitudes e sentimentos que nos fazem bem e aquilo que pode nos trazer mal. Desse modo, conseguimos fazer florir coisas boas que vão se sobrepor às ruins.

Leia o texto abaixo.

> Jesus lhes contou outra parábola, dizendo: "O Reino dos céus é como um homem que semeou boa semente em seu campo.
>
> Mas enquanto todos dormiam, veio o seu inimigo e semeou o joio no meio do trigo e se foi.
>
> Quando o trigo brotou e formou espigas, o joio também apareceu.
>
> Os servos do dono do campo dirigiram-se a ele e disseram: 'O senhor não semeou boa semente em seu campo? Então, de onde veio o joio?'
>
> 'Um inimigo fez isso', respondeu ele. Os servos lhe perguntaram: 'O senhor quer que vamos tirá-lo?'
>
> Ele respondeu: 'Não, porque, ao tirar o joio, vocês poderão arrancar com ele o trigo.
>
> Deixem que cresçam juntos até à colheita. Então direi aos encarregados da colheita: juntem primeiro o joio e amarrem-no em feixes para ser queimado; depois juntem o trigo e guardem-no no meu celeiro.'"

joio: erva daninha que prejudica a plantação.

Mateus 13,24-30. **Bíblia online**. Disponível em: <www.bibliaonline.com.br/nvi/mt/13/24-30>. Acesso em: 6 mar. 2020.

▸ **A parábola do joio**, óleo sobre painel, de Domenico Fetti, de 1622.

- Após a leitura do texto, converse com os colegas refletindo sobre sentimentos que podem ser considerados como ervas daninhas e que podem estar presentes no dia a dia.

Assumindo compromissos

A dignidade humana se constrói quando assumimos compromisso com:

> o respeito   a saúde   a religião   a educação   a mudança
> a participação   a solidariedade   a perseverança

Precisamos assumir o compromisso com a liberdade de cada povo, com a igualdade entre as pessoas, garantindo a oportunidade de todos.

A proximidade entre os povos proporciona a compreensão de que podemos transformar o mundo para melhor.

Assumir compromisso com o próximo é valorizar a família e o convívio em sociedade e seguir as leis.

Ao buscar a participação de todos, valorizar as pessoas, lutar pela educação sem preconceitos, estamos respeitando direitos. Devemos assumir o compromisso de melhorar a educação e a saúde, de ser mais humanos e de participar nas lutas para melhorar a vida de todos.

É preciso: reconhecer o direito e a igualdade entre os povos, desenvolver nossas capacidades e valorizar as dos outros e buscar novas ideias para construir uma sociedade que viva a religiosidade com respeito. Para tanto, é preciso mudar nosso jeito de agir, de pensar e de viver.

Canadenses seguram cartazes com a frase "Unidos contra a islamofobia", em Ontário, no Canadá, em 2019. Essa vigília foi feita pelas vítimas do tiroteio em duas mesquitas de Crhistchurch, na Nova Zelândia.

- Observe a imagem e reflita sobre a importância da participação pacífica e do respeito à liberdade do outro. Compartilhe suas ideias com os colegas.

Atividades

1 Só haverá mudança quando houver compromisso por um mundo melhor. Só há compromisso quando há participação.

Observe as cenas abaixo e converse com os colegas e o professor sobre elas.

● Pessoa em situação de rua em Curitiba (PR), em 2017.

● Catador de material para reciclagem em Governador Valadares (MG), em 2018.

a) Responsabilidade é gerada por compromisso. Ser responsável pelo outro é tratá-lo com:

....

....

b) Devemos ser responsáveis e participar, mas nossos governantes precisam oferecer à população mais:

....

....

....

2 Marque com **X** os quadrinhos correspondentes às frases que mostram atitudes de aproximação entre as pessoas.

☐ Aceitar o outro sem preconceito.

☐ Tratar as pessoas como gostaríamos de ser tratados.

☐ Lutar pela desigualdade social.

☐ Respeitar a religião das pessoas.

☐ Concordar sempre para não desagradar.

☐ Dialogar com o outro que apresenta uma ideia diferente da sua, respeitando as diversas opiniões.

☐ Desejar sempre o melhor para todos.

3 No Brasil, há leis que garantem muitos direitos ao povo brasileiro. Um desses direitos, que está previsto na Constituição, é o seguinte:

Artigo 5º [...]

VI – é inviolável a liberdade de consciência e de crença, sendo assegurado o livre exercício dos cultos religiosos e garantida, na forma da lei, a proteção aos locais de culto e a suas liturgias.

Constituição da República Federativa do Brasil de 1988. Disponível em: <www.senado.leg.br/atividade/const/con1988/CON1988_05.10.1988/art_5_.asp>. Acesso em: 6 mar. 2020.

Após ler o inciso VI do artigo 5º, responda:

a) Quais direitos ele garante aos cidadãos?

....

b) Explique com suas palavras o significado de:

"Cultos religiosos": ....

"Liturgia": ....

c) Para você, seguir uma religião é importante? Por quê?

....

4 Leia a seguir a fábula africana "Lipua", que foi transmitida de geração a geração até chegar aos ouvidos da avó do senegalês Ndiaye Ibrahima, que a relatou.

Lipua

Narrador: Há muito, muito tempo atrás havia um rei ganancioso e perverso chamado Caramba. Era tão egoísta que roubava descaradamente todas as colheitas aos camponeses. Não lhes deixava um único grão. Era tão mau que as aves começaram a morrer de fome. Foi então convocada uma assembleia-geral. As aves estavam tão desesperadas que decidiram que tinham de reclamar junto do rei. Mas quem teria coragem de fazer isso?

Pomba: (depois de algum tempo, em voz baixa) "Eu! Eu faço isso!"

[...] Narrador: Todas as outras aves olharam para ela estupefactas.

Outras aves: "Estás maluca! O rei Caramba vai devorar-te de uma só dentada!"

Narrador: Disseram-lhe todos. Mas já que ninguém queria fazê-lo, deixaram-na ir. Na manhã seguinte, ela partiu. O seu coração batia muito. Todos a tinham avisado que não poderia fazer frente ao rei Caramba.

Pomba: "Mas alguém tem de desafiar esse tirano e salvar as aves da fome!"

Narrador: Repetia Lipua para si própria. Quando pousou num galho de uma árvore baobá para recuperar o fôlego, Lipua ouviu nos arbustos debaixo de si a voz clara de Nini, a pequena serpente venenosa.

Serpente: "Por que é que estás tão ofegante, Lipua? Para onde estás a voar tão rápido e tão cedo?"

Pomba: "Oh! Eu vou enfrentar o grande rei Caramba!"

Narrador: Em desespero, ela contou toda a história à serpente. Nini ouviu atentamente e logo tomou uma decisão:

Serpente: "Sabes uma coisa? Vou contigo para te ajudar! Esse tirano já matou tantos de nós e usou as nossas peles para roupas e talismãs. Talvez possamos derrotá-lo juntas!"

Narrador: Encantada, Lipua pediu à sua nova amiga para se esconder debaixo das asas e partiu então novamente. Lipua esforçou-se para voar por causa do peso da serpente e decidiu descansar novamente antes de chegar ao palácio. Mal aterrou num formigueiro, o leão Simba, que estava a deambular por aí, chamou-a com a sua voz profunda:

Leão: "Lipua, por que é que estás tão ofegante?" [...]

Pomba: "Oh não! Estou numa missão! Tenho a difícil tarefa de falar com o rei Caramba!"

Narrador: Ela contou toda a história a Simba e, quando acabou, o leão disse-lhe:

Leão: "Eu também guardo rancor contra o rei Caramba. Ele já matou muitos dos meus irmãos e decorou as paredes do seu palácio com os seus crânios. Subam as duas para as minhas costas, vou levá-las ao palácio!"

Narrador: Aliviada, Lipua, com a cobra debaixo das asas, sentou-se nas costas do leão. E, depois de grandes saltos, chegaram em tempo recorde à cidade em que vivia o rei Caramba. Lá, Simba abriu caminho por entre os comerciantes que abasteciam o palácio. Sentou-se no meio do mercado e assustou todas as pessoas que ali se encontravam [...]. Entretanto, Lipua voou até aos guardas que se encontravam na entrada:

Pomba: "Posso ver o rei? Preciso urgentemente de lhe contar toda a verdade!"

Narrador: Os guardas riram e responderam:

Guardas: "Tu, passarinho, atreves-te desafiar o rei!? Estás maluca? Em vez de te ouvir, o rei vai cortar-te em pedaços e fazer uma sopa contigo!"

Pomba: "Deixem-me passar que o tempo urge!"

Narrador: Divertidos, os guardas mostraram-lhe um caminho forrado de acácias que conduzia à entrada do palácio real. Lipua respirou fundo e entrou no palácio. Os dois guardas estavam tão ocupados a fazer troça do corajoso pássaro que nem perceberam que a serpente e o leão também entraram. O rei Caramba estava [...] prestes a meter uma grande colher de papa na boca, quando a pomba pousou na borda do seu prato.

Pomba: "[...] Sua Majestade, perdoe-me, mas por sua causa reina a miséria neste país. E a sua majestade vive no luxo, enquanto o seu povo está a morrer fome!"

Rei: "[Guardas], prendam esta ave insolente! Como ousa tão vulgar pomba insultar-me durante o jantar?! Ponham-na numa gaiola e alimentem-na bem. Quando estiver bem gordinha, façam uma sopa picante com ela e sirvam-ma ao jantar!"

Narrador: Lipua foi imediatamente presa numa gaiola pequena e foi forçada a comer. [...] Assim, tornou-se gordinha e barriguda em apenas três dias. Uma noite, Caramba chamou um dos seus guardas.

Rei: "Traz-me o pássaro! Apetece-me uma sopa de pomba agradável e saborosa."

Narrador: O guarda obedeceu imediatamente. No entanto, quando abriu a gaiola e pôs a mão dentro para apanhar Lipua [...]

Queres que te conte mais? Fábulas africanas para uma cultura de paz – 3º Episódio. **Lipua**, de Ibrahima Ndiaye. Disponível em: <www.dw.com/pt-002/queres-que-te-conte-mais-f%C3%A1bulas-africanas-para-uma-cultura-de-paz/a-6117269>. Acesso em: 18 mar. 2020.

a) Que ações do rei Caramba foram consideradas opressoras?

b) Na sua opinião, o rei Caramba era uma pessoa responsável? Justifique sua resposta.

c) Como a pomba foi recebida pelos guardas do palácio? Por que ela foi tratada dessa maneira?

d) Agora, em grupos de sete pessoas, elaborem um final para a fábula. Cada grupo deve escolher um formato: pode ser uma dramatização, uma radionovela, um vídeo, uma animação, para compartilhar com os demais colegas.

e) Por fim, acesse o *link* disponível em: <www.dw.com/pt-002/queres-que-te-conte-mais-f%C3%A1bulas-africanas-para-uma-cultura-de-paz/a-6117269> (acesso em 16 jun. 2020), selecione o áudio intitulado "Fábulas africanas – Lipua – Episódio 03" e ouça a contação dessa fábula até o final real.

O TEMA É...

Ser social

O ser humano precisa dos seus semelhantes para sobreviver. Ele precisa fazer parte de grupos sociais para se realizar como pessoa, precisa de família e de amigos com os quais possa compartilhar suas experiências e sentimentos.

grupo social: grupo de pessoas com interesses comuns que convivem frequentemente e têm uma identidade.

Participar de compromissos e assumir responsabilidades é fundamental em toda essa convivência. Ao interagir e cooperar com seu grupo social, realizando em conjunto atividades que beneficiam a comunidade, o ser humano aprende a pensar, sentir, agir e não desenvolver atitudes de preconceito.

- A família é o grupo social primário, o mais íntimo, em que cada membro exerce uma função e no qual a convivência é diária.

- Exemplos de grupo social secundário: trabalho, associação esportiva, religiosa ou escolar.

1 Na sua opinião, é importante seguir uma religião? Por quê?

....
....
....
....
....

O preconceito é uma atitude, ideia, pensamento ou opinião que desfavorece uma pessoa ou um grupo social e que assumimos sem conhecimento sobre o assunto ou generalizando alguma experiência isolada. É uma atitude negativa com relação, por exemplo, a religiões e costumes diferentes dos nossos.

Não nascemos com preconceitos e, para evitá-los e combatê-los ao longo da vida, precisamos desenvolver nossa consciência e nossa inteligência para nos tornarmos capazes de fazer escolhas e julgamentos positivos ou negativos embasados na realidade. Assim conseguiremos levar uma vida prudente, bondosa e cheia de virtudes seguindo o caminho do bem e evitando o que não é bom.

● Há muitos tipos de preconceito: étnico, linguístico, social, religioso, entre outros. É importante estarmos atentos às nossas atitudes para sermos pessoas justas e comprometidas a fim de tornar o mundo melhor.

2 Como encontrar nas religiões o caminho para o bem?

....

....

3 Existe alguma religião melhor que a outra?

....

....

4 Na sua opinião, por que existem guerras religiosas?

....

....

11 AMIGO SE CONQUISTA...

> O olhar de um amigo alegra o coração.
>
> **Provérbio 15,30**

Solidariedade é o compromisso que cada um de nós assume para com o outro, é ter compaixão e ajudar o próximo quando necessário, é ser colaborativo.

Fazer uma boa ação nos dá a sensação de satisfação e desperta em nós o senso da coletividade. Ajudar alguém não tem preço, e não devemos esperar nada em troca.

As religiões incentivam a prática de boas ações porque se acredita que este é um caminho que nos torna seres humanos melhores e nos aproxima do divino.

Todos podem ajudar independentemente do tamanho ou da idade. A força para ajudar alguém vem do sentimento de compaixão e da empatia.

Alunos do curso de Moda, do Centro Universitário Salesiano de São Paulo (UNISAL), em Americana, produzem máscaras de proteção para doar à população em situação de vulnerabilidade em Americana e Santa Bárbara d'Oeste. Em 2020, sofremos uma pandemia mundial que tirou a vida de milhares de pessoas no mundo. Essa situação nos afetou profundamente e despertou a solidariedade em muitas pessoas. Diante de tanta tristeza, o sentimento de esperança era fortalecido enquanto testemunhávamos boas ações simples, mas que faziam a diferença.

- Dê exemplos de boas ações que podem ser praticadas no dia a dia.

Leia a fábula a seguir:

A formiga e a pomba

Uma formiga sedenta chegou à margem do rio, para beber água. Para alcançar a água, precisou descer por uma folha de grama. Ao fazer isso, escorregou e caiu dentro da correnteza.

Pousada numa árvore próxima, uma pomba viu a formiga em perigo.

Rapidamente, arrancou uma folha de árvore e jogou dentro do rio, perto da formiga, que pôde subir nela e flutuar até a margem.

Logo que alcançou a terra, a formiga viu um caçador de pássaros, que se escondia atrás de uma árvore, com uma rede nas mãos. Vendo que a pomba corria perigo, correu até o caçador e mordeu-lhe o calcanhar. A dor fez o caçador largar a rede e a pomba fugiu para um ramo mais alto.

De lá, ela arrulhou para a formiga:

— Obrigada, querida amiga.

Uma boa ação se paga com outra.

A formiga e a pomba, de Esopo. Disponível em: <www.dominiopublico.gov.br/pesquisa/DetalheObraForm.do?select_action=&co_obra=24679>. Acesso em: 27 abr. 2020.

- Após a leitura do texto, converse com os colegas sobre as seguintes questões:

   a) Por que a pomba ajudou a formiga?

   b) Ao perceber que a pomba, que tinha salvado sua vida, estava em perigo, a formiga também quis ajudá-la. Na sua opinião, a formiga fez uma boa ação? Justifique.

   c) Você já recebeu ajuda de alguém e retribuiu o favor? Compartilhe com os colegas sua experiência.

Amizade: um compromisso

A amizade ocorre quando cativamos alguém, quando despertamos no outro confiança e admiração e quando gostamos de estar com eles, partilhando momentos felizes ou nos apoiando uns nos outros em momentos tristes.

Ter amigos torna nossa vida mais alegre, e a amizade leva à responsabilidade de cuidar, de amar, de ser solidário. O verdadeiro amigo sabe acolher, ajuda a crescer, compreende e perdoa.

Leia o texto a seguir do livro **O Pequeno Príncipe**, do escritor, ilustrador e aviador francês Antoine de Saint-Exupéry, publicado em 1943.

O Pequeno Príncipe

Se tu me cativas, minha vida será como que cheia de sol. Conhecerei um barulho de passos que será diferente dos outros. Os outros passos me fazem entrar debaixo da terra. O teu me chamará para fora da toca, como se fosse música. E depois, olha! Vês, lá longe, o campo de trigo? Eu não como pão. O trigo pra mim é inútil. Os campos de trigo não me lembram coisa alguma. E isso é triste! Mas tu tens cabelos cor de ouro. Então será maravilhoso quando me tiveres cativado. O trigo é dourado, fará lembrar-me de ti. E eu amarei o barulho do vento no trigo...

A raposa calou-se e observou por muito tempo o príncipe:

– Por favor... cativa-me! – disse ela.

– Bem quisera – disse o principezinho –, mas eu não tenho muito tempo. Tenho amigos a descobrir e muitas coisas a conhecer.

– A gente só conhece bem as coisas que cativou – disse a raposa. – Os homens não têm mais tempo de conhecer coisa alguma. Compram tudo prontinho nas lojas. Mas, como não existem lojas de amigos, os homens não têm mais amigos. Se tu queres um amigo, cativa-me!

O Pequeno Príncipe, de Antoine de Saint-Exupéry. Rio de Janeiro: Agir, 1967. p. 70.

1 Converse com os colegas e reflitam sobre o significado para a palavra "cativar".

2 Faça a atividade *Decifrando o enigma* da **página 13** do **Caderno de criatividade a alegria**.

Atividades

1 Marque com **X** as frases que descrevem ações que podem nos tornar melhores.

☐ Ser egoísta.

☐ Sentir indignação diante de injustiça.

☐ Ajudar a quem precisa.

☐ Ser indiferente.

☐ Achar-se superior aos outros.

☐ Compartilhar informações verdadeiras.

☐ Participar de decisões na comunidade.

2 Responda às questões a seguir.

a) Você sempre concorda em tudo com seus amigos?

....
....

b) Você sabe expressar sua opinião e ouvir a opinião dos outros?

....
....

c) Você acredita que, quando sabemos ser bons amigos e ajudamos ao próximo, estamos nos tornando pessoas melhores? Por quê?

....
....

3 Perdoar é um ato de amor. Perdoar quem ofende, desculpar e não guardar mágoas é agir bem, é o primeiro passo para se reconciliar com o próximo.

Jesus nos ensina a perdoar sempre; quem tem um coração pronto para amar perdoa.

Leia a seguir a parábola do filho pródigo.

O filho perdido e reencontrado

Um homem tinha dois filhos. O filho mais novo disse ao pai:

– Pai, dá-me a parte da herança que me cabe.

E o pai dividiu os bens entre eles. Poucos dias depois, o filho mais novo juntou o que era seu e partiu para um lugar distante. E ali esbanjou tudo numa vida desenfreada. Quando tinha esbanjado tudo o que possuía, chegou uma grande fome àquela região, e ele começou a passar necessidade. Então, foi pedir trabalho a um homem do lugar, que o mandou para seu sítio cuidar dos porcos. Ele queria matar a fome com a comida que os porcos comiam, mas nem isto lhe davam. Então caiu em si e disse:

– Quantos empregados do meu pai têm pão com fartura, e eu aqui, morrendo de fome. [...].

Então ele partiu e voltou para seu pai. Quando ainda estava longe, seu pai o avistou e foi tomado de compaixão. Correu-lhe ao encontro, abraçou-o e o cobriu de beijos. O filho, então, lhe disse:

– Pai, pequei contra Deus e contra ti. Já não mereço ser chamado teu filho.

Mas o pai disse aos empregados:

– Trazei depressa a melhor túnica para vestir meu filho. Colocai-lhe um anel no dedo e sandálias nos pés. Trazei um novilho gordo e matai-o, para comermos e festejarmos. Pois este meu filho estava morto e tornou a viver; estava perdido e foi encontrado. – E começaram a festa.

Relevo representando o retorno do filho pródigo no altar principal da Igreja de São Mateus, em Stitar, na Croácia, em 2015.

O filho mais velho estava no campo. Ao voltar, já perto de casa, ouviu música e barulho de dança. Então chamou um dos criados e perguntou o que estava acontecendo. Ele respondeu:

– É teu irmão que voltou. Teu pai matou o novilho gordo, porque recuperou seu filho são e salvo.

Mas ele ficou com raiva e não queria entrar. O pai, saindo, insistiu com ele. Ele, porém, respondeu ao pai:

– Eu trabalho para ti há tantos anos, jamais desobedeci a qualquer ordem tua. E nunca me deste um cabrito para eu festejar com meus amigos. Mas quando chegou esse teu filho, que esbanjou teus bens [...], matas para ele o novilho gordo.

Então o pai lhe disse:

– Filho, tu estás sempre comigo, e tudo o que é meu é teu. Mas era preciso festejar e alegrar-nos, porque este teu irmão estava morto e tornou a viver, estava perdido e foi encontrado.

Lucas 15,11-32. **Bíblia Sagrada**. Tradução da CNBB. 8. ed. Brasília: Edições CNBB, 2008. p. 1294.

- Agora, observe as cenas abaixo e ordene-as.

4 Complete o diagrama com as palavras que representam ações que cultivam a amizade.

> incentivo   alegria   solidariedade   perdão   confiança
> dedicação   fidelidade   respeito   gratidão   justiça

- Selecione uma das palavras que aparecem na atividade desta página e escreva-a em uma tira de papel. Em seguida, dobre-a, coloque-a dentro de um balão e encha o balão.

Enquanto o professor coloca uma música, brinque com os balões soltos de todos os alunos na sala de aula. Quando a música parar, escolha um balão para estourar. Então, um por vez, cada aluno deve ler em voz a palavra que estava dentro do balão, dando um exemplo de como aplicar na vida cotidiana uma atitude que se refere àquela palavra.

VOCÊ EM AÇÃO

Painel da amizade

Os amigos são como as flores e as folhas: são todos diferentes, mas cada um tem sua importância, sua beleza natural. Podem ser altos ou baixos, brancos ou negros, gordos ou magros; uns gostam de batata frita, outros preferem *pizza*; mas se existe amizade, a diversidade é valorizada.

Que tal demonstrar a união da turma confeccionando um painel da amizade?

Material necessário

- folha de papel *Kraft* branco (tamanho da parede da sala de aula)
- tinta guache (cores variadas)
- camiseta velha (para usar como avental)
- jornal velho (para forrar o chão)
- fita adesiva

Como fazer

1. Escolham uma parede da sala para prender a folha de papel *Kraft* com fita adesiva.

   Atenção: cuide para que a folha fique bem afixada na parede e não caia durante a pintura.

2. Para manter o chão da sala de aula limpo, forre-o com as folhas de jornal perto da parede em que está o painel.

   Atenção: prenda as folhas no chão com fita adesiva para que não se soltem.

3. Todos devem vestir a camiseta velha antes da atividade.

4. Enquanto o professor coloca uma música, cada aluno faz seu autorretrato usando apenas os dedos e tinta guache.

5. Ao finalizarem o painel, todos devem escrever seus nomes perto dos respectivos autorretratos.

6. Agora, escreva no quadro abaixo dois exemplos de atitudes que pode ter e que não deve ter com os amigos e compartilhe com a turma.

Atitudes que posso ter com os amigos	Atitudes que não devo ter com os amigos

7. Juntos, confeccionem um cartaz relacionando os exemplos citados por todos. Afixem o cartaz na sala de aula para que fique exposto.

8. Depois que o painel e o cartaz estiverem prontos, reúnam-se para tirar uma foto perto deles e colem-na no espaço abaixo.

Cole aqui a foto.

12 BELEZAS QUE ENCANTAM

> O céu declara a glória de Deus, e o firmamento anuncia a obra de suas mãos.
>
> **Salmo 19,1**

Em 2007, o Cristo Redentor, monumento-símbolo da cidade do Rio de Janeiro, foi eleito uma das sete maravilhas do mundo moderno. O Cristo, que está sempre de braços abertos para as belezas da nossa terra, representa a fé do povo e, junto às obras da natureza, como praias, morros e florestas, oferece um cenário encantador.

Cristo Redentor, Rio de Janeiro (RJ), em 2016.

Porém, o ser humano muitas vezes se esquece de valorizar as águas, a flora e a fauna, obras do Criador.

As belezas da natureza nos foram oferecidas por amor.

Elas nos encantam, nos pertencem. São um bem de todos.

Devemos ser gratos por tantas maravilhas que nos foram oferecidas por um Criador tão amoroso e jamais nos esquecer de amá-las, respeitá-las e protegê-las.

- Em uma roda, cada aluno faz um agradecimento.

Preservação e valorização da natureza e dos espaços públicos

Se os seres humanos continuarem explorando os recursos naturais da Terra de maneira irresponsável, desmatando as florestas, caçando os animais e usando a água sem consciência, no futuro teremos:

- pouca água limpa
- terras inadequadas para o cultivo de alimento

▸ Lixo na água na praia de Tubiacanga, na ilha do Governador, no Rio de Janeiro (RJ), em 2020.

▸ Área de cultivo seca por falta de chuva em Quarto Centenário (PR), em 2018.

- animais extintos
- florestas reduzidas

▸ Tartaruga enroscada em pedaço de plástico no oceano Índico, em 2017.

▸ Incêndio em mata nativa do cerrado na Chapada dos Veadeiros, em Alto Paraíso de Goiás (GO), em 2019.

Cuidar do ambiente é fundamental para a vida. A poluição gerada pelas usinas nucleares e as montanhas de lixo, o aumento da população e a falta de água potável afetam todo o planeta.

Porém, se mudarmos de postura, tomando atitudes sustentáveis, como reciclar o lixo, consumir alimentos orgânicos, reduzir o consumo de plástico, não comprar por impulso e desnecessariamente, economizar água, estaremos fazendo a nossa parte rumo a um futuro melhor.

- Agora, crie três regras de consumo consciente e planeje com os colegas uma maneira de colocá-las em prática diariamente.

Patrimônio material e imaterial

O Brasil é um país enorme, e cada lugar tem suas características e culturas próprias. Nosso país é repleto de belezas naturais, expressões artísticas e celebrações diversas que precisam ser preservadas para que as futuras gerações conheçam e apreciem essas riquezas: é a herança que será deixada, nosso patrimônio.

Há os patrimônios materiais, que podem ser imóveis, sítios arqueológicos, cidades históricas, coleções fotográficas ou cinematográficas, documentos, ou seja, bens concretos. Por exemplo:

tombado: protegido pelo poder público em razão de seu valor histórico, artístico, ambiental, cultural.

- Bens arqueológicos, etnográficos e paisagísticos – Parque Nacional da Serra da Capivara (PI), remanescentes do povo e ruínas da igreja de São Miguel, etc.

▶ Serra da Barriga, em União dos Palmares (AL), em 2015.

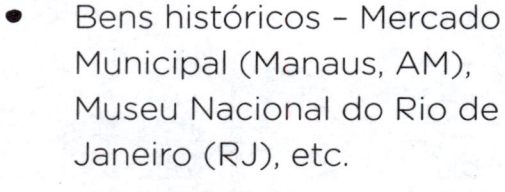

- Bens históricos – Mercado Municipal (Manaus, AM), Museu Nacional do Rio de Janeiro (RJ), etc.

▶ Interior da Igreja de São João Batista, na aldeia jesuítica de Carapicuíba (SP), em 2015. A aldeia foi fundada em 1580 e tombada em 1940 pelo Iphan.

- Belas-artes – imagem de São Francisco de Paula, de Aleijadinho, Lavatório da igreja de Nossa Senhora da Boa Viagem (Belo Horizonte, MG).

▶ Interior do Teatro José de Alencar inaugurado oficialmente em 1910 em Fortaleza (CE), em 2015.

- Artes aplicadas – 16 imagens representando a morte de Nossa Senhora, etc.

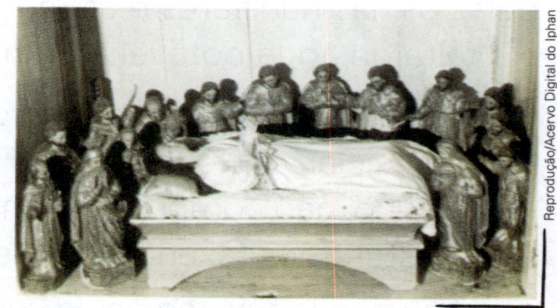

▶ Nossa Senhora da Boa Morte, na capela de São José, em Canguaretama (RN).

Os patrimônios imateriais são aqueles transmitidos de geração em geração. Eles preservam a memória e a identidade de um grupo. São saberes acumulados, formas de expressão.

Os patrimônios imateriais se dividem em quatro categorias:

- Saberes – ofício das baianas de acarajé, modo de fazer viola de cocho, etc.

- Celebrações – Festa do Divino Espírito Santo de Paraty, Círio de Nossa Senhora de Nazaré, etc.

▶ Artesã fazendo renda irlandesa, em Divina Pastora (SE), em 2018.

▶ Procissão do Senhor dos Passos, em Florianópolis (SC), em 2013.

- Formas de expressão – arte *kusiwa* do povo Wajãpi, literatura de cordel, etc.

- Lugares – Feira de Campina Grande (PB), Cachoeira de Iauaretê (AM) – lugar sagrado dos povos indígenas dos rios Uaupés e Papuri, etc.

▶ *Rtixòkò* (figura feminina) e *ritxòò* (figura masculina), imagens de cerâmica feitas pelos Karajá, consideradas expressões artísticas e cosmológicas desse povo, em Ilha do Bananal (TO), em 2009.

▶ Feira de Caruaru, em Caruaru (PE), em 2018.

- Em casa, com ajuda dos pais ou responsáveis, pesquise patrimônios do estado em que você vive e, se possível, leve imagens para a sala de aula para compartilhar com os colegas.

Lembre-se de anotar o nome do patrimônio e o nome do município em que está localizado.

Saiba mais

Organizações para preservação

O Greenpeace é uma organização global e independente que atua para defender o meio ambiente e promover a paz.

Os militantes do Greenpeace são conhecidos ao redor do mundo como "os guerreiros do arco-íris".

A organização foi criada em 1971, no Canadá. É uma instituição sem fins lucrativos, comprometida apenas com os indivíduos e a sociedade civil. Busca incentivar as pessoas a mudar de atitude com relação à destruição do meio ambiente.

Suas atividades incluem protestos e ações não violentas, e seus objetivos são transformar o planeta num lugar melhor para viver e garantir a proteção do meio ambiente para gerações futuras.

O Greenpeace investiga crimes ambientais e propõe formas de solucionar esse tipo de problema. A organização estabeleceu-se no Brasil em 1992, o mesmo ano da Conferência das Nações Unidas para o Meio Ambiente e o Desenvolvimento (Cnumad), que ficou mais conhecida como Eco-92.

Naquela época estavam em pauta a preocupação com o desenvolvimento nuclear brasileiro, a destruição dos recursos naturais da Amazônia, as mudanças climáticas e o cultivo de alimentos transgênicos nos campos brasileiros, bem como suas consequências ambientais e para a saúde humana.

transgênicos: são organismos que tiveram seu material genético alterado. Receberam artificialmente genes de outras espécies, para provocar a manifestação de novas características desejadas.

- Ativistas do Greenpeace em protesto contra as políticas ambientais, o derramamento de óleo no Nordeste brasileiro e a situação ambiental na Amazônia, em frente ao Palácio do Planalto, em Brasília (DF), em 2019.

Atividades

1 Você será fotógrafo por um dia. No trajeto entre a escola e o lugar onde você mora, observe se há monumentos ou bens públicos degradados e fotografe-os. Escolha as duas fotos mais interessantes, imprima-as e cole-as abaixo usando cola em bastão. Junto a cada foto, escreva o local em que ela foi tirada.

Cole aqui a foto.

Cole aqui a foto.

2 Você sabe como preservar o meio ambiente, cuidar das árvores e das florestas e reduzir o consumo de água de uma só vez? É só aprender a usar melhor o papel (reciclando-o e diminuindo o desperdício), porque a fabricação dele requer o corte de muitas árvores e a utilização de muita água.

Aprenda a fazer um cartão de papel reciclado e, no final, decore com o tema preservação do ambiente, escreva uma mensagem e presenteie alguém da sua família.

Material necessário

- jornais velhos, folhas de rascunho, folhas de caderno usadas
- uma bacia larga, assadeira ou bandeja retangular (onde caiba a peneira. Importante: deve ter cerca de 10 cm de altura)
- uma peneira retangular (sugestão de tamanho: 15 cm × 10 cm)
- tesoura de pontas arredondadas
- pano de prato limpo
- sementes de manjericão ou salsinha (opcional)
- liquidificador

Como fazer

1. Rasgue o papel em tiras finas e deixe-o na bacia com bastante água por três dias.
Atenção: troque a água todos os dias para evitar que apodreça.

2. Com ajuda de um adulto, despeje o papel aos poucos no liquidificador com um pouco de água e bata até obter uma pasta. Essa será sua matéria-prima para fazer o papel.

3. Despeje a mistura na bacia e agite-a com as mãos para que o papel não fique no fundo. Mergulhe a peneira na bacia, para "pescar" as partículas, de modo que fique uma camada de massa sobre ela.

4. Retire a peneira cuidadosamente e deixe escorrer a água. Depois, apoie a peneira sobre folhas de jornal para absorver o excesso de água.

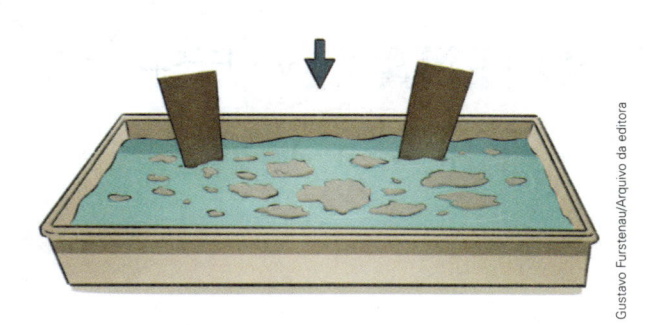

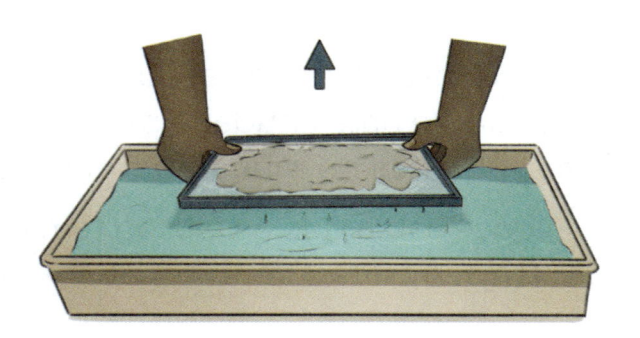

5. Vire a peneira lentamente sobre um pano para desenformar a massa com delicadeza.
   Dica: depois de desenformar, espalhe sobre a superfície do papel algumas sementes de manjericão ou salsinha para fazer um papel semente.

6. Coloque folhas de jornal sobre o papel e um peso, para que saia toda a água.

7. Em seguida, retire as folhas de jornal, deixe seu papel secar bem em local ventilado por um ou dois dias. Pronto!

● Papel reciclado artesanal secando no varal.

O TEMA É...

Divulgar ajuda a preservar

Preservar o meio ambiente é preservar o nosso patrimônio e, com isso, nossas culturas.

A Unesco (Organização das Nações Unidas para a Educação, Ciência e Cultura) é uma entidade mundial que tem o objetivo de promover a paz e a segurança no mundo por meio da educação, ciência e cultura.

Você sabia que a Unesco tem uma lista de patrimônios mundiais que devem ser protegidos?

Há bens naturais: são paisagens como Grand Canyon (Estados Unidos), Montanhas Rochosas (Canadá), Lagos de Plitvice (Croácia), Te Wahipounamu (Nova Zelândia), Floresta Tropical Úmida de Atsinanana (Madagascar), etc.

Lagos de Plitvice, na Croácia, em 2017.

Há bens culturais como Petra (Jordânia), São Petersburgo (Rússia), Havana (Cuba), Estátua da Liberdade (Estados Unidos), Pirâmides de Gizé (Egito), centro histórico de Bruges (Bélgica), Cidade do Vaticano, etc.

Cidade de São Petersburgo, na Rússia, em 2019.

No Brasil também há patrimônios mundiais. Conheça alguns deles:

- Cidade histórica de Ouro Preto (MG), em 2018. Esse foi o primeiro bem cultural do Brasil a ser inscrito em 1980 como patrimônio mundial.

- Parque Nacional do Iguaçu, em 2019. Esse bem natural foi inscrito em 1986 como patrimônio mundial.

Assim como o ser humano desenvolve meios de proteção a esses bens, muitas vezes ele os destrói. Por causa de ações humanas, muitos desses bens estão em perigo.

- Interior do Al Madina Souq, em Alepo, na Síria, em 2007. O maior mercado coberto do mundo foi construído no século XIII e é um dos patrimônios mundiais da humanidade.

- Al Madina Souq após bombardeio. Foto de 2017.

- Em grupos, pesquisem patrimônios da humanidade localizados no Brasil e confeccionem um folheto em três partes, com imagens, informações e dicas de preservação para divulgar na comunidade escolar.

    Grupo 1 – Centro Histórico de Olinda (PE)
    Grupo 2 – Santuário de Bom Jesus de Matosinhos (MG)
    Grupo 3 – Parque Nacional da Serra da Capivara (PI)
    Grupo 4 – Reservas da Mata Atlântica (PR e SP)
    Grupo 5 – Parque Nacional do Pantanal Matogrossense (MT e MS)
    Grupo 6 – Complexo de Conservação da Amazônia Central (AM)

UNIDADE 4

ESCOLHENDO CAMINHOS

Entre nesta roda

- Por que o ser humano faz tantas perguntas e quer descobrir tantas coisas?
- Na sua opinião, o que o ser humano não descobriu e deveria descobrir?
- Cite exemplos de como a tecnologia atual pode ajudar a resolver alguns problemas que existem no mundo.

Nesta Unidade vamos estudar...

- Invenções e criações do ser humano
- Ser livre
- Práticas religiosas
- Celebrações

115

13 FAZENDO DESCOBERTAS

> Nunca se fez uma grande descoberta sem partir de um simples palpite.
>
> Isaac Newton

À medida que crescemos e aprendemos a observar o mundo, muitas dúvidas começam a surgir. Ficamos encantados com tudo o que aparece ao nosso redor e buscamos respostas para tudo.

Encontramos respostas. Afinal...

Somos criados por Deus para fazer, descobrir, encantar e ficar encantados. Leia a letra da canção abaixo.

Oito anos

Por que você é Flamengo
E meu pai é Botafogo?
O que significa
"Impávido Colosso"?

Por que os ossos doem
Enquanto a gente dorme?
Por que os dentes caem?
Por onde os filhos saem?

Por que os dedos murcham
Quando estou no banho?
Por que as ruas enchem
Quando está chovendo?

Quanto é mil trilhões
Vezes infinito?
Quem é Jesus Cristo?
Onde estão meus primos?

Well, Well, Well
Gabriel...

Por que o fogo queima?
Por que a Lua é branca?
Por que a Terra roda?
Por que deitar agora?

Por que as cobras matam?
Por que o vidro embaça?
Por que você se pinta?
Por que o tempo passa?

Por que a gente espirra?
Por que as unhas crescem?
Por que o sangue corre?
Por que a gente morre?

Do que é feita a nuvem?
Do que é feita a neve?
Como é que se escreve
Réveillon?

Well, Well, Well
Gabriel.

OITO anos. Intérprete e compositora: Adriana Calcanhoto. *In*: ADRIANA Partimpim. [*S. l.*]: Sony BMG, 2004. 1 CD, faixa 2.

- Após a leitura da letra da canção, formem uma roda de conversa para refletir sobre os questionamentos apresentados, selecionem as perguntas mais interessantes e levantem hipóteses para tentar respondê-las.

Quem é?

Isaac Newton nasceu em 1643 na Inglaterra. Ele foi astrônomo, alquimista, filósofo natural, teólogo, cientista inglês, físico e matemático. Entre outras coisas, Newton inventou o telescópio refletor usado até hoje na Astronomia. Ele faleceu em 1727.

Tecnologia e esperança

A cada dia que passa, o ser humano aprende mais e cria novas tecnologias. Porém, ainda há muito a descobrir e inventar!

É preciso estar atento para que as pessoas não se tornem prisioneiras das próprias descobertas, pois elas correm o risco de se distanciar de si mesmas e de sua essência. Será que essas descobertas tecnológicas são capazes de trazer apenas alegrias ou também podem ser prejudiciais?

Leia o texto a seguir sobre a relação entre os avanços tecnológicos e a ética.

A esperança das células-tronco

Após convivermos séculos com uma "medicina curativa", bastante rude, surgiu a "medicina preventiva" (vacinas, antibióticos, saneamento básico, etc.). Mais recentemente nasceu a "medicina paliativa", que cuida dos pacientes terminais, doentes fora de possibilidades terapêuticas. Agora está chegando a "medicina genômica" (ou pós-genômica) ou "preditiva", estreitamente ligada aos progressos e pesquisas do genoma, e que, além de intervir a partir de sintomas de doenças já instaladas no corpo, vai atuar na raiz das predisposições genéticas das doenças.

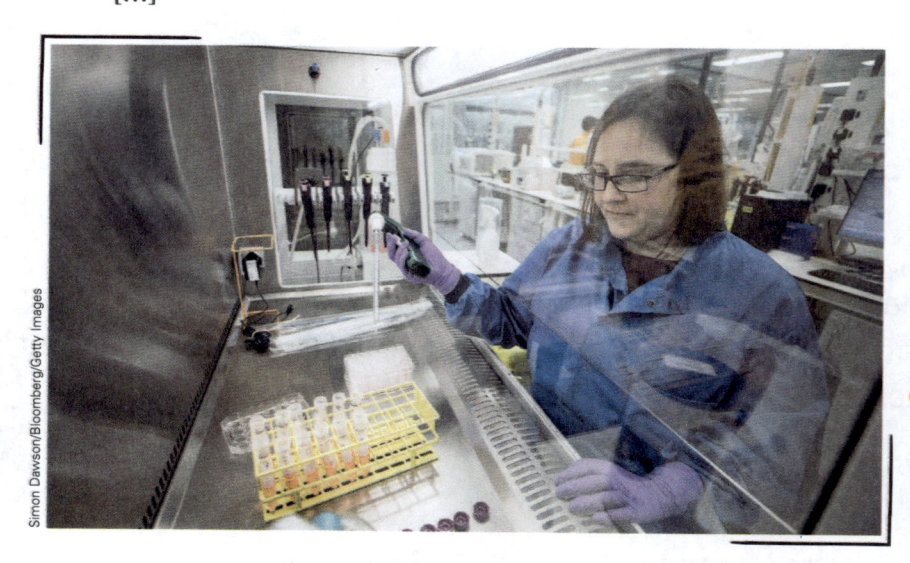

[...]

Cientista trabalhando com células-tronco em laboratório em Stevenage, Reino Unido, em 2019.

Esta descoberta situa-se entre os acontecimentos científicos mais importantes da segunda metade do século XX.

Com este acontecimento, surgiu na agenda da mídia internacional e nas preocupações políticas de inúmeros governos a "questão da bioética", ligada aos extraordinários desenvolvimentos na área da biologia e genética. [...]

Precisamos introduzir o imperativo ético da sabedoria de como usar o conhecimento científico. Nesta perspectiva o ser humano continua a criação, é cocriador no exercício da responsabilidade criativa que preserva a dignidade humana e é fator de construção de um mundo mais saudável e de um ser humano mais feliz.

🔸 Tanques de guerra em Idlib, na Síria, em 2020.

Genética, clonagem e dignidade humana, de Léo Pessini. **Parcerias Estratégicas**. Brasília: CGEE, n. 16, 2002. Disponível em: <http://seer.cgee.org.br/index.php/parcerias_estrategicas/article/view/227>. Acesso em: 26 mar. 2020.

Para desfrutar de suas descobertas, o ser humano precisa de sabedoria. Precisa criar formas de se relacionar com o transcendente, ligadas ou não a uma religião. Essa relação deve incorporar as vivências e as experiências que adquirimos à medida que interligamos realidade e fé.

Devemos participar da construção do mundo como instrumentos capacitados a criar e inventar, transformando-o e desenvolvendo-o em busca de paz e harmonia. Essa capacidade é ao mesmo tempo uma bênção e uma grande responsabilidade.

1 Escreva abaixo quais são, na sua opinião, as duas principais descobertas da humanidade e justifique sua resposta.

....

....

....

2 Em casa, com a ajuda de um adulto, pesquise em jornais, revistas ou na internet quem foram os inventores ou quem fez as descobertas indicadas na atividade 1. Registre as respostas em uma folha avulsa para depois compartilhar com os colegas e, juntos, confeccionarem um mural de inventores e suas invenções.

Atividades

1 Temos tantas perguntas e queremos descobrir tantas coisas: Por que há tanta injustiça no mundo? Por que há tanta maldade e tanta pobreza? E, para alguns, tanta riqueza? Como acabar com a desigualdade social?

Leia atentamente a charge a seguir e responda: Na sua opinião, por que o mundo está passando por tantos problemas e o que poderia ser feito para melhorar essa situação?

PAI, EU QUERO MORAR NAQUELE MUNDO!

Arionauro. Disponível em: <www.arionaurocartuns.com.br>. Acesso em: 4 jun. 2020.

2 Muitas vezes, as pessoas não querem se envolver nos problemas do governo, da comunidade ou até da própria família. Elas se esquecem de que, se não participarmos da vida da família e das comunidades, se não nos informarmos sobre o que o governo vem fazendo, nunca solucionaremos os problemas.

Assinale em vermelho as situações que ocorrem quando você não participa e em azul as que ocorrem quando você participa.

☐ Dou opiniões, sou responsável, sei ouvir e decidir o melhor.

☐ Não conheço os meus direitos nem luto por eles.

☐ Sei respeitar as regras de conduta na minha escola e na minha casa.

☐ Deixo que os outros decidam por mim.

3 Contorne no diagrama abaixo **seis** palavras que representam atitudes que podem nos ajudar a encontrar novos caminhos para resolver problemas.

P	A	C	I	Ê	N	C	I	A	U	Q	A	L	X
Q	O	A	M	O	R	U	Y	I	R	F	H	S	S
D	K	O	I	Y	G	V	X	N	O	V	J	M	P
O	A	D	F	X	Q	D	A	T	P	D	A	U	L
I	S	C	É	F	D	C	D	E	Ç	C	E	H	E
A	D	G	F	T	R	V	F	R	Z	B	I	O	D
Q	F	T	G	Y	E	S	P	E	R	A	N	Ç	A
H	G	Y	B	J	F	H	J	S	X	Q	A	Z	R
A	E	N	T	U	S	I	A	S	M	O	K	Ç	V
D	J	J	H	G	N	F	N	E	Y	B	T	L	A

- Agora, sentados em círculo, criem uma história coletiva usando as seis palavras encontradas no diagrama.

Cada aluno deverá continuar a narração do colega, inserindo as palavras do diagrama e acrescentando novas ideias.

4 Às vezes fazemos brincadeiras ou piadas que incomodam e entristecem as pessoas com quem convivemos, até mesmo nossos amigos próximos. Precisamos aprender a conviver com o outro. Crie no espaço abaixo uma charge contra o preconceito.

5 Leia o texto a seguir silenciosamente.

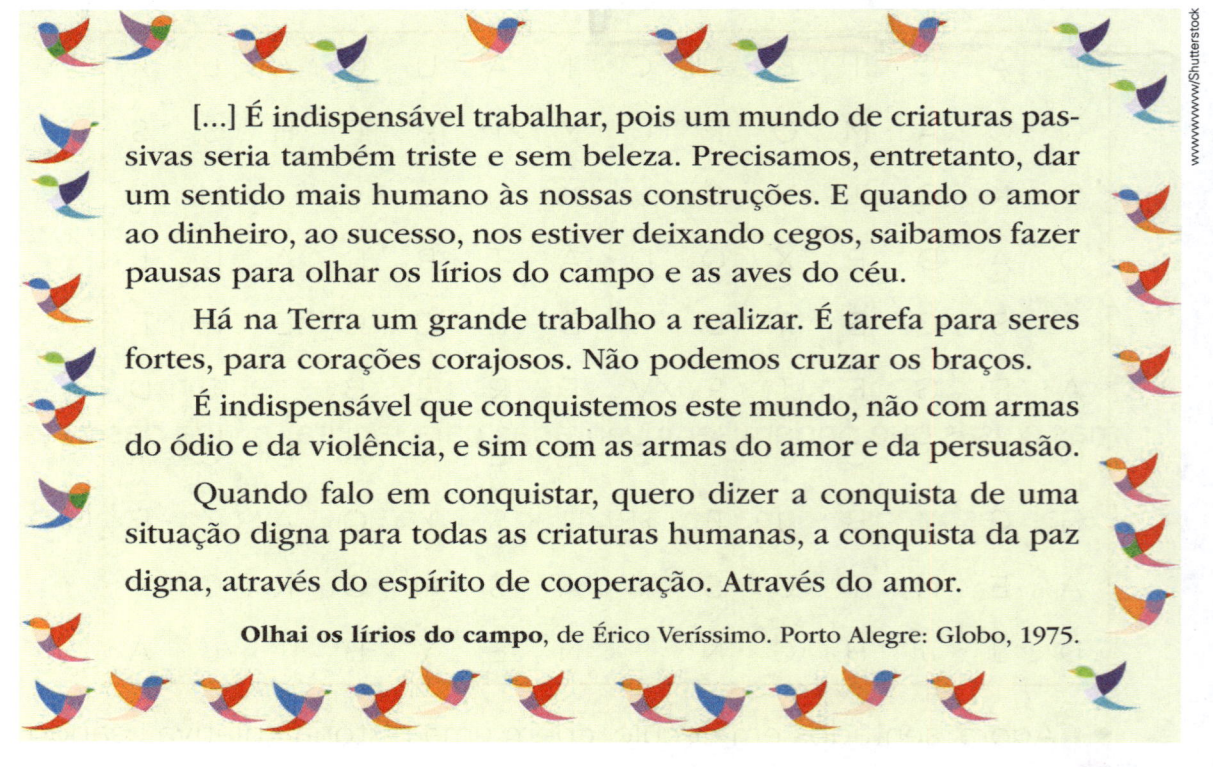

[...] É indispensável trabalhar, pois um mundo de criaturas passivas seria também triste e sem beleza. Precisamos, entretanto, dar um sentido mais humano às nossas construções. E quando o amor ao dinheiro, ao sucesso, nos estiver deixando cegos, saibamos fazer pausas para olhar os lírios do campo e as aves do céu.

Há na Terra um grande trabalho a realizar. É tarefa para seres fortes, para corações corajosos. Não podemos cruzar os braços.

É indispensável que conquistemos este mundo, não com armas do ódio e da violência, e sim com as armas do amor e da persuasão.

Quando falo em conquistar, quero dizer a conquista de uma situação digna para todas as criaturas humanas, a conquista da paz digna, através do espírito de cooperação. Através do amor.

Olhai os lírios do campo, de Érico Veríssimo. Porto Alegre: Globo, 1975.

- Formem dois grandes grupos de trabalho para refletir e argumentar sobre o trecho do livro **Olhai os lírios do campo** apresentado acima e respondam: Qual é a melhor solução apresentada?

VOCÊ EM AÇÃO

Feira de invenção

O que é preciso para se tornar um inventor?

As principais características de um grande inventor são a curiosidade, a vontade de aprender e ter um objetivo definido. Saber o que se pretende com a invenção ajuda bastante.

Uma escola na Inglaterra decidiu estimular esse lado curioso e inventivo de seus alunos e, com a ajuda de empresas locais, transformou em realidade as invenções que os alunos desenharam.

Observe o exemplo abaixo:

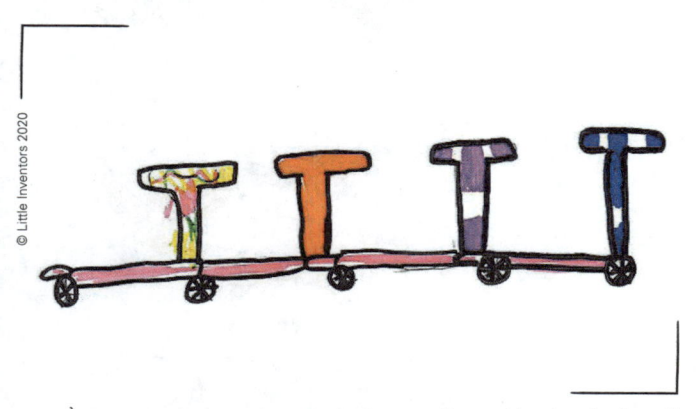

- À esquerda, o esboço da invenção patinete da família, criado por uma menina de 9 anos em 2015; à direita, a invenção concretizada.

Agora é a vez de vocês exercitarem suas habilidades de criação.

1 Formem grupos de, no máximo, quatro pessoas e reflitam sobre algumas coisas que podem ser inventadas para facilitar a vida das pessoas.

2 Façam esboços e debatam até chegarem a um consenso sobre o que será construído.

3 Depois, façam o protótipo para testar a invenção e escrevam o que ela é capaz de fazer.

Atenção: Peçam ajuda a um adulto para a confecção do protótipo.

4 Organizem uma "Feira de invenção" na escola para expor o que a turma criou.

14 LIBERDADE

> Todas as pessoas nascem livres e iguais em dignidade e direitos. São dotadas de razão e consciência e devem agir em relação umas às outras com espírito de fraternidade.
>
> **Artigo 1º da Declaração Universal dos Direitos Humanos**

A liberdade é um direito humano garantido por lei, mas ela tem limite, afinal não podemos fazer tudo o que nos vier à cabeça.

Leia o texto abaixo.

Liberdade
é poder correr, pular.
É se sentir com asas
e voar...
Voar em pensamento, voar bem alto...
É saber que se pode amar, construir e crescer.

Liberdade é conhecer o outro,
respeitar a natureza,
amar a vida.
Sorrir, gritar e cantar.
É soltar a voz.
É falar a verdade.
Reivindicar, lutar...
É caminhar sem medo de errar e,
se precisar, voltar e recomeçar.

Liberdade é, acima de tudo,
no amor acreditar!

Texto elaborado pelas autoras especialmente para esta obra.

- Converse com os colegas sobre as seguintes questões:

    a) O que é liberdade?

    b) Qual é o limite da liberdade?

Para viver com liberdade

Pedir conselhos a pessoas experientes, corrigir os erros cometidos e ajudar o próximo é superar o individualismo e reconhecer que não estamos sós no mundo. Não é possível ser livre de fato sem compreender que o maior dom é a vida e que devemos protegê-la e sem reconhecer que um dos maiores bens humanos é a família. Com ela podemos aprender quanto é importante ser fiel e honesto; quanto é importante partilhar e crescer cercado de amor.

Para viver com liberdade, é preciso: praticar a caridade, amar a família, ver no próximo um irmão, ser verdadeiro e, além de tudo isso, também é importante lutar contra as injustiças e as violências, ajudar a construir um futuro com mais segurança e menos medo.

Leia um trecho da notícia a seguir, sobre Sri Lanka e Mianmar, que, apesar de não serem os países mais ricos do mundo, são os mais generosos.

O que faz destes países os mais generosos do mundo?

Ajudar estranhos pode significar muito mais do que uma boa ação. Um estudo publicado pela empresa de consultoria Gallup revelou que a disposição de um país em ajudar o próximo é um forte indicador de fatores econômicos positivos, assim como outros múltiplos benefícios, como incentivar o bem-estar coletivo.

A consultoria entrevistou mais de 145 mil pessoas em mais de 140 países, perguntando se eles tinham doado dinheiro para alguma instituição de caridade, se fizeram trabalho voluntário em alguma organização, ou se ajudaram um estranho.

Os resultados foram apresentados no Relatório Global de Engajamento Cívico de 2016. Mianmar, EUA, Austrália, Nova Zelândia e Sri Lanka foram os países que lideraram a lista, com o Brasil na 34ª posição [...].

Mianmar

[...]

A generosidade em Mianmar vem de uma forte tradição do budismo. "Qualquer boa ação que os budistas fazem é levada em conta para sua próxima encarnação, resultando em uma vida melhor para eles", explicou Hninzi Thet, nascida em Rangum, filha de um pai católico e uma mãe budista.

"Por exemplo, no aniversário de uma criança eles oferecem uma refeição para monges, que dependem do público para se alimentar. Isso trará mérito para os budistas", disse ela.

[...]

● Monges recebendo doação de comida em Nyaung-U, em Mianmar, em 2014. Nesse país, doar comida para monges faz parte da tradição budista.

Sri Lanka

Assim como em Mianmar, a generosidade no Sri Lanka tem grande influência da religião. "A maioria da população é de budistas e hindus, e ambas as religiões pregam a caridade e o compartilhamento", disse Mahinthan So, que mora na capital, Colombo.

A vontade de ajudar o próximo é particularmente evidente na cidade de Matara, no sul do país. "Há um ditado no Sri Lanka que diz que 'não importa onde você vá na ilha, em caso de necessidade, você sempre encontrará alguém de Matara que certamente ficará feliz em ajudar'", disse Supun Budhajeewa, natural da cidade.

● Crianças com oferendas a Buda em Matara, no Sri Lanka, em 2011. Nessa cidade são organizados eventos para promover a caridade e a benevolência.

Desde doação de sangue a eventos de caridade em escola, há sempre alguma iniciativa em Matara que encoraja a benevolência.

Muitas organizações municipais e de bairro realizam com frequência barracas de comida de graça durante feriados e dias especiais. Feriados também são datas populares para fazer trabalho voluntário, como limpar ruas, ajudar em hospitais e construir casas para desabrigados.

[...]

O que faz destes países os mais generosos do mundo?, de Lindsey Galloway. **BBC Travel**, 28 dez. 2016. Disponível em: <www.bbc.com/portuguese/vert-tra-38205668>. Acesso em: 2 abr. 2020.

1 Formem grupos para refletir sobre o texto lido e registrem as conclusões nas linhas abaixo.

....
....
....
....

2 Reescreva a frase a seguir, substituindo as posturas e os atos de violência por posturas de respeito e responsabilidade nas escolhas.

> **Sou violento, não divido minhas coisas, quero ser sempre o primeiro, não sou solidário, minha palavra tem que prevalecer, não acredito em ninguém e não respeito as pessoas.**

....
....
....
....

Atividades

1 Ser livre é saber escolher. Quando conquisto minha liberdade, aprendo que as pessoas que amo podem me acompanhar na hora de tomar decisões, mas não podem decidir por mim.

Assinale as frases que falam da verdadeira liberdade: a que é exercida com responsabilidade.

☐ Atos que prejudicam o próximo, o meio ambiente e a nós mesmos.

☐ Saber agir de forma a não prejudicar outras pessoas, além de respeitá-las, não fazendo distinção de cor, sexo e religião.

☐ A capacidade de saber escolher com sabedoria o que é melhor.

☐ O direito de pensar e fazer o que quiser sem se preocupar com as consequências.

2 Descreva duas situações: uma em que exista liberdade e outra em que não exista.

3 Leia o texto a seguir e, depois, faça o que se pede.

> A Bíblia dos cristãos está dividida em Antigo Testamento e Novo Testamento. No Novo Testamento há mensagens de Jesus Cristo que os evangelistas queriam comunicar às comunidades cristãs para que elas se aprofundassem na fé.
>
> Jesus foi um homem real, que percorreu caminhos falando de misericórdia e do amor gratuito, falando do Deus libertador, do sofrimento e da busca por vencer o mal. Ele ofereceu a perspectiva de um mundo novo, no qual a justiça, a paz e a fraternidade prevalecem por meio do diálogo.

- Agora, localize na Bíblia a Carta de Tiago; nela, o trecho 1,16-25 (ou seja, os versículos 16 a 25 do capítulo 1), que fala da "Lei da liberdade". Após a leitura, escolha o versículo desse trecho que você achou mais interessante e transcreva-o abaixo.

....

....

....

Saiba mais +

Ser livre é ser fraterno

A fraternidade é um tipo de liberdade que aproxima as pessoas em causas humanitárias.

Há instituições que trabalham para proteger e ajudar crianças no mundo todo. O Fundo das Nações Unidas para a Infância (Unicef) é um exemplo. Ele reúne pessoas que usam sua liberdade para fazer o bem e zelar pelos direitos das crianças.

O TEMA É...

Resistência

O início da história do Brasil foi marcado pela escravidão de negros africanos que foram trazidos à força para cá por volta de 1540.

Esse período da escravatura tão terrível da história brasileira teve seu fim em 13 de maio de 1888, quando a Princesa Isabel assinou a Lei Áurea.

Foram mais de 300 anos de escravidão e, durante esse período, foram muitas as formas de resistência que os escravizados buscaram para sair dessa situação. Veja a seguir algumas delas.

- Realizando revoltas e fugindo para os quilombos, isto é, abrigos em que as pessoas escravizadas buscavam reencontrar suas histórias e culturas referentes a seus países de origem.

- Construindo famílias e criando laços de amizade e solidariedade também eram maneiras de ser fortalecer como grupo e resistir.

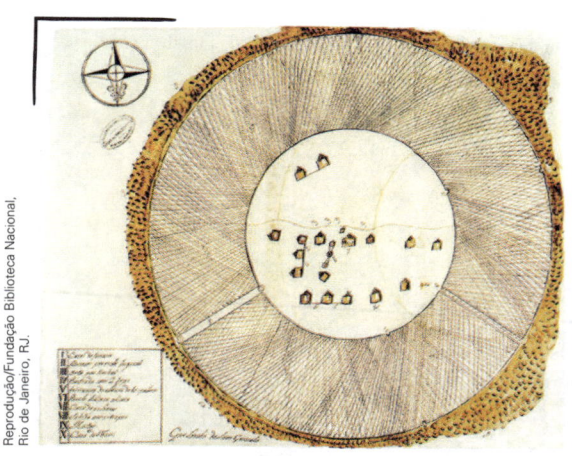

Quilombo de São Gonçalo, aquarela do século XVIII. Ao centro da planta, vê-se o aldeamento, que era protegido por uma área de trincheira (área hachurada ao redor do círculo central).

Dança de negros no Campo de Santa Anna no Rio de Janeiro, aquarela de Augustus Earle, cerca de 1822.

1 Converse com os colegas sobre as formas de resistência apresentadas mencionando seus pontos fortes.

Ainda hoje, no Brasil, há pessoas que vivem em remanescentes de quilombos, em agrupamentos conhecidos como comunidades quilombolas. Há ações afirmativas do governo para proteger a cultura dessas comunidades, consideradas tradicionais.

A Serra da Barriga, região do Quilombo dos Palmares (AL), é um patrimônio cultural do Brasil e representa o marco da luta contra a escravidão. Foto de 2015.

Ações afirmativas são medidas de combate à discriminação, à exclusão e ao preconceito que grupos de pessoas sofreram no passado e ainda sofrem no presente, por exemplo, os afrodescendentes e os indígenas.

O objetivo dessas ações é minimizar a desigualdade acumulada ao longo dos anos propiciando a esses grupos suporte para o ingresso nas universidades e no mercado de trabalho, por exemplo.

A lei que torna obrigatório o ensino de história e cultura africana, afro-brasileira e indígena nos livros e nas escolas é uma ação afirmativa que também trouxe à tona a riqueza dessas culturas e a importância de sua valorização.

2 Formem grupos e reflitam sobre quais outras medidas podem ser tomadas para que a sociedade reduza a desigualdade social no Brasil e registre-as abaixo. Depois, compartilhe com os demais colegas.

....

....

....

15 TRADIÇÕES RELIGIOSAS

> Suba o primeiro degrau com fé. Não é necessário que você veja toda a escada. Apenas dê o primeiro passo.
> **Martin Luther King Jr.**

Páscoa significa passagem, transformação, vida nova. Páscoa é festa! É alegria!

Muitos anos antes do nascimento de Jesus, os judeus, que viviam no Egito, foram perseguidos e escravizados.

Trabalhavam em serviços pesados, eram castigados e não tinham direito a descanso.

Por muitos anos eles sofreram injustiças, perseguições e escravidão. Até que foram libertados por Moisés, que os levou do Egito em busca da Terra Santa. Para comemorar a passagem da vida de escravidão para uma vida de liberdade, eles se reuniram com suas famílias e fizeram uma refeição.

Até hoje os judeus comemoram, na Páscoa (chamada por eles de *Pessach*), a libertação de seu povo da escravidão no Egito.

Judeus leem a Torá enquanto assistem às celebrações do *Pessach* em sinagoga de Moscou, na Rússia, em 2018.

Para os cristãos, a Páscoa é a festa mais importante, pois comemora a ressurreição de Jesus, ou seja, a passagem da morte para a vida eterna. Nessa data, os cristãos celebram a esperança, a alegria e a felicidade de uma nova vida e também:

- a passagem da escravidão para a liberdade, pois com sua morte e ressurreição, Jesus Cristo libertou a humanidade de toda forma de escravidão e pecado;
- a passagem do mal para o bem;
- a passagem do egoísmo para a solidariedade, da tristeza para a alegria, da injustiça para a justiça, da morte para a vida.

Os cristãos celebram a vitória!

Essa data é comemorada entre as famílias católicas, que celebram a Ceia de Páscoa, e, na comunidade, com a realização de missas.

Páscoa! Vida nova! Tempo de amor, tempo de paz!

Os profetas sempre lutaram para manter vivo o projeto de Deus: com a Ceia Pascal, a última refeição que compartilharam com Jesus, mostram que comer junto une as pessoas.

Vigília pascal na catedral de Zagreb, na Croácia, em 2015.

A Páscoa tem três dimensões:
1. histórica: lembra o passado e a libertação da escravidão do Egito;
2. espiritual: mostra a partilha do pão como um dom de Deus para todos;
3. social: reanima a esperança de um futuro de justiça, no qual todos tenham o que comer.

Então, Páscoa é a partilha do pão, a celebração da vida de Jesus que nos foi dada por amor e a esperança dos cristãos em alcançar o Reino de Deus.

- Compartilhe com os colegas se você e sua família comemoram a Páscoa e, em caso positivo, como comemoram. Em caso negativo, comente se achou interessante as diversas formas de comemorar a Páscoa.

Ritos religiosos

Os ritos são conjuntos de práticas religiosas simbólicas que colocam o ser humano em contato com o Sagrado; por conta disso, devem ser tratados com muito respeito. Eles podem ser realizados individual ou coletivamente. Os rituais materializam simbolicamente o que é sagrado e o que encontramos descrito nos textos das tradições religiosas. Eles mantêm viva a fé e a união dos seguidores dessas tradições.

Nos ritos, as pessoas se expressam por meio de palavras, cantos, gestos, manipulação de objetos, etc. Os ritos são um dos aspectos característicos da religião: trazem em si a sacralidade e o sentimento de fé, são repetidos com grande respeito e podem simbolizar e celebrar acontecimentos e transições importantes, como nascimento, adolescência, matrimônio e morte.

Um rito muitas vezes é realizado em determinados locais e com imagens específicas para comunicar simbolicamente mensagens e sinais ligados a eles. Os rituais variam de acordo com o grupo religioso, e suas manifestações religiosas nas comunidades ajudam a fortalecer a fé e a relação com o transcendente.

Observe alguns exemplos de ritos religiosos.

- Festa do Menino do Rancho, ritual Pankararu que marca a passagem da infância para a vida adulta. É celebrada com a chegada dos Praiá, personagens místicos vestidos com palha de ouricuri, ao som de maracás e cantos entoados pelos pajés. Tacaratu (PE), em 2014.

- Ritos de passagem: *Bat Mitzvá*, cerimônia em que a jovem judia de 12 anos torna-se um membro maduro da comunidade.

• Os rituais religiosos fortalecem nossa fé e ajudam na comunicação com o transcendente. Mas outros rituais modernos fazem parte de nossa vida, como o Carnaval. Com a ajuda dos pais ou responsáveis, pesquise em casa três rituais familiares, registre-os em uma folha avulsa e compartilhe-os com os colegas na próxima aula.

Festas religiosas

Catolicismo

Para os católicos, o batismo simboliza a fé com que a comunidade celebra e acolhe a chegada de um novo integrante. É o compromisso de viver como filhos de Deus e de seguir os ensinamentos de Jesus Cristo. Os símbolos do batismo católico são água, óleo, vela e roupas brancas.

No catolicismo, o batismo é o primeiro sacramento e dá acesso aos demais. Outro sacramento importante é a eucaristia, que relembra para os católicos a morte e a ressureição de Jesus Cristo.

O batismo e a eucaristia identificam o católico e representam partilha, esperança e compromisso.

Sacramento do batismo. Os católicos participam dos sacramentos com celebração e alegria. Bebê sendo batizado em Roma, na Itália, em 2016.

Sacramento da eucaristia na cidade de Ho Chi Minh (ex-Saigon), no Vietnã, em 2016.

Budismo

As principais tradições budistas são *mahayana*, praticada amplamente no norte da Ásia, e *hinayana*, comum no sul da Ásia, conhecida hoje como Theravada.

O festival *Obon* é um evento importante e alegre que acontece geralmente entre julho e agosto. Essa festa é um agradecimento aos ancestrais, tanto aos vivos como aos já falecidos; acredita-se que nesse dia os espíritos dos antepassados venham visitar seus parentes.

Durante o festival é realizada uma dança tradicional chamada *bon odori*, as pessoas visitam os túmulos de pessoas queridas e flores e alimentos são ofertados nos templos. No final da cerimônia, lanternas são colocadas em rios, mares e lagos para ajudar os espíritos a voltarem para seu mundo.

Mais de 2 000 pessoas realizam dança tradicional *bon odori* em Osaka, no Japão, em 2015.

Candomblé

A presença africana é marcante na vivência religiosa dos brasileiros. No candomblé, as festas geralmente não têm dias fixos, mas cada orixá deverá ser homenageado na época correspondente. Por exemplo, a Feijoada de Ogum e a Festa de Oxóssi ocorrem em abril; a Festa para Obaluaiê e a Festa de Oxumaré acontecem em agosto.

Todas as festas são acompanhadas de música e canto. Os principais instrumentos são os atabaques: *rum*, *rumpi* e *lé*, considerados sagrados, e cada orixá tem seu toque específico.

Fiéis reunidos em cerimônia a Iemanjá em uma vila de pescadores na praia do Rio Vermelho em Salvador (BA), em 2018. Observe os atabaques à esquerda na foto.

Islamismo

Há duas grandes festas islâmicas: *Eid al-Adha* (Festival do Sacrifício) e *Eid al-Fitr* (celebração do fim do jejum).

No *Eid al-Fitr* os muçulmanos agradecem por terem passado pelo jejum, há trocas de cartões e presentes e ações de caridade, como doações aos necessitados.

A celebração começa com uma prece para enaltecer Alá, seguida de um sermão e uma oração especial para pedir perdão e ajuda a todos os muçulmanos. Por fim, é realizado um grande almoço na casa de algum parente mais velho e as crianças recebem presentes.

Família muçulmana comemora o *Eid al-Fitr*, que marca o fim do ramadã, na casa de um parente em Batu Pahat, na Malásia, em 2017.

Judaísmo

O *Yom Kippur* (Dia do Perdão) é uma das festas mais importantes do judaísmo.

Esse dia é marcado por jejum total e muitas orações com o objetivo de valorizar a alma. Além de não poder comer nem beber, nesse dia também não é permitido usar eletricidade, trabalhar nem usar nada de couro, como sinal de resistência ao mundo material.

Rabino tocando *shofar*, um tipo de trompa, no final do *Yom Kippur* para lembrar aos judeus a vitória sobre os pecados.

O *Yom Kippur* é a celebração do perdão de Deus ao povo de Israel; é um momento de purificação e reconciliação.

- Formem cinco grupos e entrevistem o dirigente espiritual das religiões mencionadas e perguntem-lhe: "Qual é a importância das festas religiosas para sua religião?".

Atividades

1 Para o cristão, a Páscoa representa renovação. É o tempo de buscar uma vida melhor, mais solidária, e de mudar gestos e atitudes. Tempo de renovar a fé.

Escreva nos balões a seguir outras atitudes que podem transformar nossa vida.

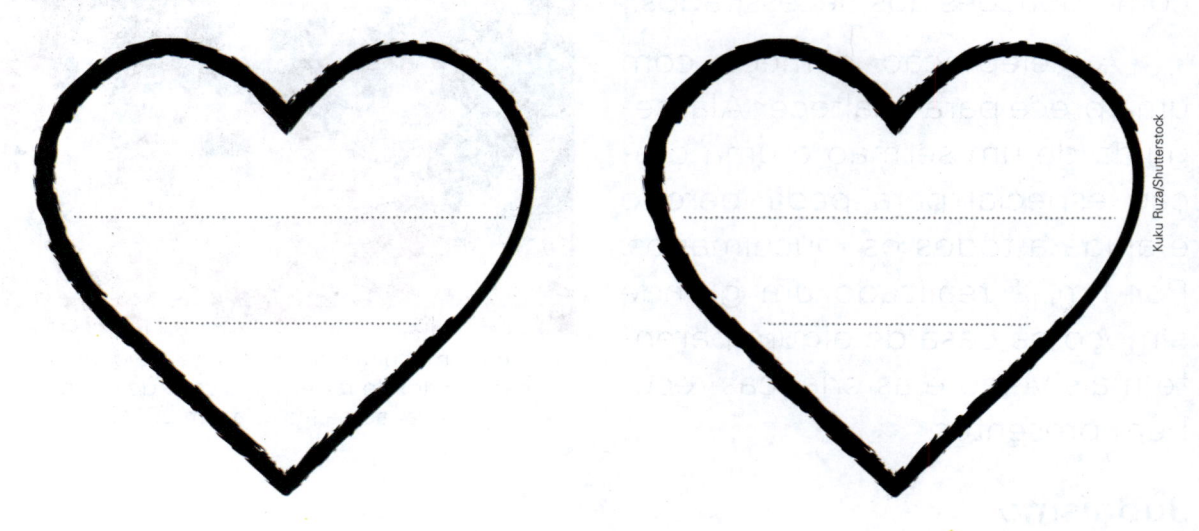

2 Marque as atitudes que considerar corretas:

- ☐ Perdoar a quem me ofendeu.
- ☐ Ajudar minha comunidade.
- ☐ Repartir com os necessitados.
- ☐ Não cumprimentar as pessoas.
- ☐ Colaborar com quem precisa.
- ☐ Jamais visitar doentes.
- ☐ Cuidar da natureza, um bem de todos.
- ☐ Não discriminar as pessoas.
- ☐ Buscar sempre a verdade.

3 Leia o texto a seguir, escrito pelo 14º dalai-lama, uma das mais importantes lideranças do budismo.

> Sejam quais forem as diferenças de doutrina, todas as principais religiões estão preocupadas em ajudar as pessoas a se tornarem melhores seres humanos. Todas dão relevo ao amor, à compaixão, à paciência, à tolerância, ao perdão, à humildade, e todas são capazes de ajudar os indivíduos a desenvolverem essas qualidades. Além do mais, o exemplo oferecido pelos fundadores de cada uma das grandes religiões demonstra claramente a intenção de ajudar os semelhantes a encontrar a felicidade através do desenvolvimento dessas qualidades. Todos viveram suas vidas pessoais com grande simplicidade [...].

Uma ética para o novo milênio, de Sua Santidade, o Dalai-Lama. Tradução de Maria Luiza Newlands. Rio de Janeiro: Sextante, 2006. p. 164-165.

Agora, responda com base em sua leitura:

a) Com o que estão preocupadas as principais religiões?

b) Quais são as qualidades que todas as principais religiões enfatizam?

c) Escolha uma dessas qualidades e explique o que ela significa para você.

4 Faça a atividade *Adivinhando quem sou eu* da **página 14** do **Caderno de criatividade alegria**.

VOCÊ EM AÇÃO

Painel de festas religiosas

Há muitos grupos religiosos no mundo. Os principais são:

- cristianismo
- budismo
- islamismo
- judaísmo
- hinduísmo

Que tal conhecer um pouco mais suas tradições e festividades?

1 Formem cinco grupos.

2 Cada grupo será responsável por pesquisar uma festa tradicional de um dos grupos religiosos listados.

3 Pesquisem na internet, em jornais, revistas ou livros informações e imagens das celebrações.

4 Depois, sintetizem as informações em um cartaz, colem imagens e/ou façam desenhos representando a festa tradicional pesquisada.

5 Montem um painel com todos os cartazes. Um grupo por vez deverá se levantar para apresentar a pesquisa.

Ilustrações: Peter Hermes Furian/Shutterstock

16 TEMPO DE ALEGRIA

> Glória a Deus nas alturas, paz na terra, boa vontade para com os homens.
>
> **Lucas 2,14**

Natal, festa de nascimento! É tempo de amor, tempo de alegria, tempo de solidariedade, tempo de paz, tempo de esperança!

O menino Jesus é o Messias esperado pelos cristãos: ele nasceu em Belém, por isso também é conhecido como o filho de Davi, pois essa é a cidade do Rei Davi.

Seus pais, Maria e José, descendiam desse rei, de uma tribo chamada Judá. Eles moravam na cidade de Nazaré, e por conta disso Jesus também foi chamado de Nazareno.

A família de Jesus era composta de judeus, que sempre iam em peregrinação até o templo em Jerusalém, sede da religião judaica.

Jesus era fonte de esperança de um Deus-Amor, oferecendo vida e libertação. Viveu entre nós dando exemplos de que é possível se comunicar com Deus observando a natureza e as palavras das Sagradas Escrituras.

Celebrações diversas

Independentemente da religião, as pessoas desejam que o mundo se torne mais humano e fraterno.

Precisamos deixar que o Natal não seja apenas um momento para troca de presentes, ceia e brinquedos novos, e sim um dia de reconciliação, de união, de perdão e de alegria.

Precisamos permitir que o Natal realize transformações em nossa vida; esse é o sentido de comemorá-lo com festa e orações de agradecimento. Agradecer pela família, pelo trabalho, pela escola e pela saúde de nossa gente. Pedir amor entre os povos e paz para o mundo!

Apenas os cristãos celebram o Natal como uma festa religiosa; outras culturas e religiões respeitam a data mas não a comemoram. É o caso, por exemplo, da Arábia Saudita, país islâmico.

- Toda a família é envolvida nos preparativos para o Natal, como montar a árvore e colocar luzes na janela e enfeites na porta de casa.

- Faz parte da tradição natalina de muitas famílias a montagem do presépio.

As tradições são diferentes, os povos são diferentes, mas todas as comemorações são importantes e devem ser respeitadas.

Em Israel, região em que nasceu Jesus, também não se comemora o Natal. Nessa data, os judeus comemoram a Festa das Luzes, ou *Chanuká*, que significa dedicação.

Essa festa sagrada relembra a vitória dos judeus sobre os gregos. Leia o texto a seguir para saber a origem da comemoração do *Chanuká*.

Antiocus, rei da Síria, governou a Terra de Israel depois da morte de Alexandre, o Grande. Durante o seu governo, ele forçou os judeus a aceitarem a cultura greco-helenista, proibindo o cumprimento das mitsvot (preceitos) da Torá [livro sagrado do judaísmo] [...] e forçando a prática da idolatria pagã.

Em 165 a.C., os Macabeus, corajosos lutadores oriundos de uma família de muita fé, os Chashmonaim, resolveram lutar contra essa opressão e saíram vitoriosos de uma batalha travada contra Antiocus e seu enorme exército.

O triunfo de Judas Macabeu, óleo sobre tela, de Peter Paul Rubens, 1635.

O Templo Sagrado, que havia sido violado pelos rituais greco-pagãos, foi novamente purificado e consagrado e a Menorá (candelabro) foi reacesa com o azeite puro de oliva, encontrado no Templo. A quantidade de azeite encontrada no Templo seria suficiente para acender a Menorá por apenas um dia, mas milagrosamente o óleo durou oito dias, até que um novo óleo puro pudesse ser produzido e trazido ao Templo. [...]

Em vez de Natal, Hanuká: a festa das luzes. *EBC*, 24 dez. 2012. Disponível em: <https://www.ebc.com.br/infantil/para-pais/2012/12/em-vez-de-natal-hanuka-a-festa-das-luzes>. Acesso em: 13 abr. 2020.

São oito dias de comemoração e, para cada dia, os judeus acendem uma vela da *chanukiá*, começando com a vela central (*shamash*).

Há também a preparação de comidas típicas, como panqueca de batatas (*latkes*) e um pão doce parecido com sonho, chamado *sufganiot*, e troca de presentes.

É uma celebração muito alegre, com orações e músicas e um momento especial em que as crianças brincam com o *sevivon*, um pião. Se ele tiver sido comprado em Israel, terá as iniciais da frase "*Nes gadol haiá pó*", que significa "um grande milagre aconteceu aqui" ("aqui" se refere a Israel); se tiver sido comprado em outro país, terá as iniciais da frase "*Nes gadol haiá sham*", que significa "um grande milagre aconteceu lá" ("lá" se refere a Israel).

A *chanukiá*, ou candelabro de nove braços, é usada no *Chanuká*. Ao acender as velas, a família relembra os heróis do judaísmo e canta canções tradicionais que são passadas de geração em geração.

Panqueca de batata (*latkes*) e pão doce (*sufganiot*).

Sevivon.

Em tradições religiosas como a umbanda e o candomblé, os orixás são cultuados durante todo o ano, mas o mês de dezembro tem uma simbologia especial para duas orixás femininas: Iansã, rainha das tempestades, e Oxum, símbolo da beleza.

No dia 4 de dezembro é celebrado o dia de Iansã. Os alimentos ofertados para essa orixá são o acarajé e o abará; suas cores preferidas são amarelo-ouro e vermelho, e suas flores são rosas e crisântemos amarelos.

Estátuas de orixás do candomblé no Dique do Tororó, em Salvador (BA), em 2015. Na imagem é possível ver, da esquerda para direita, Ogum (orixá guerreiro), Nanã (a orixá mais velha) e Iansã.

Leia a seguir um *itan*, ou seja, um mito, uma história de tempos imemoriáveis, passada de geração em geração a respeito de Iansã.

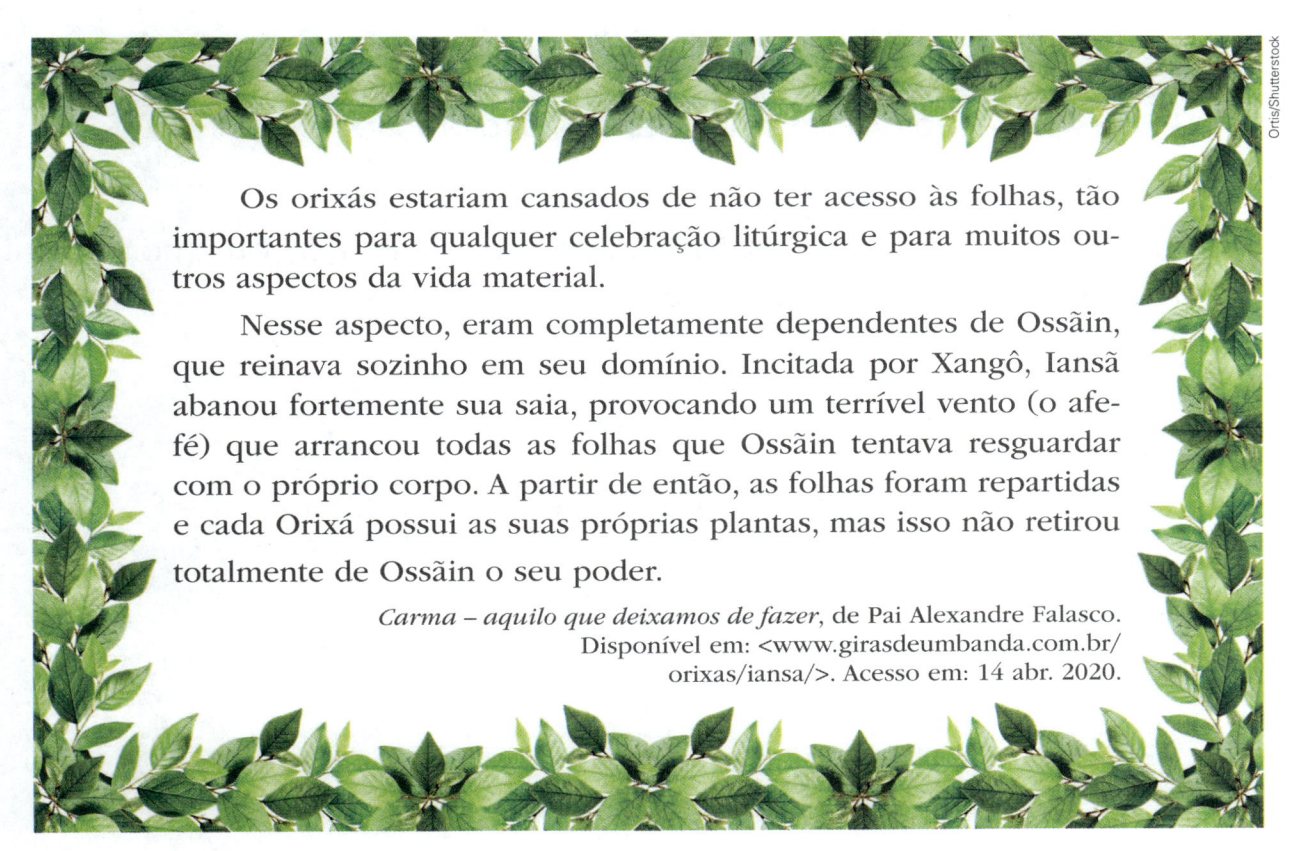

> Os orixás estariam cansados de não ter acesso às folhas, tão importantes para qualquer celebração litúrgica e para muitos outros aspectos da vida material.
>
> Nesse aspecto, eram completamente dependentes de Ossãin, que reinava sozinho em seu domínio. Incitada por Xangô, Iansã abanou fortemente sua saia, provocando um terrível vento (o afefé) que arrancou todas as folhas que Ossãin tentava resguardar com o próprio corpo. A partir de então, as folhas foram repartidas e cada Orixá possui as suas próprias plantas, mas isso não retirou totalmente de Ossãin o seu poder.
>
> *Carma – aquilo que deixamos de fazer*, de Pai Alexandre Falasco. Disponível em: <www.girasdeumbanda.com.br/orixas/iansa/>. Acesso em: 14 abr. 2020.

- Compartilhe com os colegas os sentimentos e as sensações que você teve ao participar de uma festa de final de ano, religiosa ou não.

Atividades

1 Natal é momento de reflexão, de fazer um balanço geral e de pensar nos momentos de alegria e nas dificuldades enfrentadas. Marque as alternativas que demonstram aquilo de que as pessoas precisam para vencer suas dificuldades.

- ☐ solidariedade e respeito
- ☐ baixos salários e desemprego
- ☐ justiça e trabalho para todos
- ☐ sinceridade e honestidade
- ☐ falta de assistência médica e odontológica
- ☐ educação e moradia para todos
- ☐ exploração do trabalho infantil e exploração sexual

2 Sua família comemora o Natal? Como? Se vocês não comemoram, o que costumam fazer nessa data?

....

....

....

....

....

....

3 Leia o texto a seguir.

Quem é Papai Noel?

Símbolo maior da celebração natalina, o "bom velhinho" foi inspirado no Bispo Nicolau, que viveu na cidade de Myrna, Turquia, no século IV. Ele ficou conhecido por suas atividades filantrópicas, já que costumava ajudar, anonimamente, pessoas que enfrentavam dificuldades financeiras na região. Para tanto, jogava um saco de moedas de ouro na chaminé das casas. Fora isso, vários milagres foram atribuídos a ele, o que fez com que fosse declarado santo e se transformasse em um símbolo do Natal.

Segundo a lenda, "Santa Claus", como Papai Noel é chamado em alguns lugares do mundo, mora em Rovaniemi, capital da Lapônia, na Finlândia, no Círculo Polar Ártico.

São Nicolau, óleo sobre painel. Século XVII.

Projetos escolares. Ensino Fundamental. São Paulo: Ediouro, ano 1, n. 1, p. 6.

a) Agora, formem grupos e pesquisem a origem das seguintes tradições natalinas.
- Árvore de Natal
- Troca de presentes
- Guirlanda
- Estrela no alto da árvore
- Presépio

b) Elaborem um cartaz contando sua origem e ilustrem com desenhos.

c) Por fim, afixem os cartazes na parede da sala de aula e organizem uma roda de conversa para que cada grupo exponha sua pesquisa.

O TEMA É...

Música para nos conectarmos

Quem canta, seus males espanta, já dizia o ditado popular.

A música é capaz de emocionar, trazer alegria e paz, nos faz relembrar momentos que vivemos, pessoas que fizeram parte de nossa vida.

Cantar pode ser uma maneira de orar e agradecer. Todas as tradições religiosas têm seus cânticos para louvar seu deus, orixás, santos, profetas...

Segundo os Guajajara, a Festa do Mel é aquela que dá origem a todas as outras festas Guajajara. Ela foi resgatada por esse povo por volta de 2007 e tem sido celebrada todos os anos com a participação de jovens, fundamentais para perpetuar a cultura desse povo. Na foto é possível ver indígena Guajajara tocando um instrumento musical semelhante à trompa.

Geralmente, os rituais religiosos são acompanhados de música. Por meio da canção, é como se fôssemos transportados para outro lugar, outro tempo.

Nas missas católicas, assim como nos cultos evangélicos, são intercaladas leituras bíblicas, pregações e músicas. Leia a seguir um trecho de uma canção cristã.

Ave Maria

Ave Maria Gratia plena
Maria Gratia plena
Maria Gratia plena
Ave, ave dominus
Dominus tecum
[...]

Disponível em: <www.letras.mus.br/andrea-bocelli/206366/>.
Acesso em: 20 abr. 2020.

1. Explique com suas palavras qual é a função das canções nas celebrações religiosas.

Em religiões como a umbanda e o candomblé, cada momento ritualístico e cada entidade têm seu ponto cantado específico. Leia a seguir um ponto cantado de Iemanjá.

Retira jangada do mar
Mãe D'água mandou avisar
Que hoje não pode pescar
Pois hoje tem festa no mar! (2 x)
Ieeeeeeeee Iemanjá!
Ela é, ela é rainha do mar! (2 x)

Pontos de Iemanjá.
Disponível em: <www.girasdeumbanda.com.br/pontos-cantados/>. Acesso em: 20 abr. 2020.

Já no sufismo, por exemplo, uma vertente mística do islamismo, acredita-se que, por meio da dança e dos cantos, é possível uma conexão, uma comunhão direta com Alá (Deus). A cerimônia Sema é um ritual que simboliza o amor divino e o caminho até Deus.

Por meio de rodopios e músicas envolventes, os dervixes (praticantes sufistas) entram em estado de êxtase. Acredita-se que o poder divino entra pela mão direita dos dervixes (que, por isso, está sempre voltada para cima), e eles o oferecem ao mundo com a mão esquerda, voltada para baixo.

2 Pense em uma música que o emocione profundamente ou que o faça se lembrar de um momento importante que tenha vivido e escreva, abaixo, o nome da música, o que você sente ao ouvi-la e qual lembrança ela lhe traz. Depois, formem uma roda para compartilhar com os colegas.

SUGESTÕES PARA O ALUNO

🌿 Filmes

A família do futuro, direção de Stephen J. Anderson. Estados Unidos, 2007. (102 min)

Lewis é um garoto órfão de 12 anos que, após ser rejeitado por muitas famílias, cria um escâner de memória para tentar descobrir quem é sua mãe biológica. Durante a feira de ciências em que Lewis apresentaria sua invenção, ele recebe a visita de Wilbur, um jovem do futuro que o avisa sobre o roubo da invenção. Como Lewis não acredita, Wilbur o leva para o futuro. Lá, ele conhece "a família do futuro" e vive diversas aventuras para salvar sua invenção e descobrir valores que não fazia ideia que existiam.

A origem dos guardiões, direção de Peter Ramsey. Estados Unidos, 2012. (97 min)

Jack Frost é um rapaz que tem o poder de controlar o inverno. Ele se reúne com outros heróis, como Papai Noel, Coelhinho da Páscoa e Fada do Dente, para proteger as crianças do mundo das maldades do terrível Bicho Papão.

Irmão urso, direção de Aaron Blaise e Robert Walker. Estados Unidos, 2003. (85 min)

A animação conta a história de como Kenai, um jovem indígena, aprendeu o valor da amizade e da família. Após matar um urso na floresta, Kenai é transformado pelos antigos espíritos que guiam seu povo em um urso-pardo. No caminho para voltar a ser humano, ele conhece Koda, um filhote de urso que se perdeu e quer reencontrar a mãe. Essa aventura ensina a Kenai que as melhores e mais importantes lições podem ser aprendidas onde menos se espera.

Klaus, direção de Sergio Pablos. Espanha, 2019. (97 min)

Jesper, um jovem mimado, é designado pelo pai a abrir um escritório dos Correios em uma ilha isolada no Círculo Polar Ártico e ele tem uma missão: enviar 6 mil cartas em um ano.

Lá, Jesper encontra um enorme desafio, pois os habitantes estão em constante conflito. Com a amizade de Jesper com o Sr. Klaus, um lenhador solitário que fazia brinquedos de madeira, as crianças começam a interagir e as desavenças começam a dar espaço para a amizade e a união.

Nanny McPhee e as lições mágicas, direção de Susanna White. Reino Unido/França/Estados Unidos, 2010. (109 min)

Uma jovem mãe luta para criar seus filhos ao mesmo tempo que cuida de sua fazenda enquanto o marido está na guerra. Tudo fica ainda pior com a visita de dois sobrinhos mimados. A difícil situação só será aliviada com a chegada da inusitada Nanny McPhee, que ajudará na educação das crianças e nos afazeres domésticos. Com suas magias, McPhee encanta a mãe e as crianças.

O bom dinossauro, direção de Peter Sohn. Estados Unidos, 2016. (100 min)

Humanos e dinossauros vivem lado a lado em um mundo onde a extinção dessas enormes criaturas nunca aconteceu. Arlo é um jovem dinossauro medroso. Um dia, ele encontra Spot, uma criança humana que se perdeu da família, e ambos iniciam uma jornada cheia de emoções e lições de vida, onde cada um aprende a desenvolver o que tem de melhor dentro de si.

O pequeno príncipe, direção de Mark Osborne. França, 2015. (110 min)

Animação inspirada no romance homônimo de Antoine de Saint-Exupéry, escrito em 1943, conta a história de uma menina que está sendo pressionada pela mãe a deixar de ser criança. A menina começa, então, uma amizade inusitada com seu vizinho, um aviador aposentado que lhe conta a história de um principezinho que vivia no asteroide B612, e assim começa a jornada da garota.

O príncipe do Egito, direção de Brenda Chapman, Simon Wells e Steve Hickner. Estados Unidos, 1998. (98 min)

Animação adaptada do livro **Exôdo**, da Bíblia, conta a história de Moisés e sua missão de salvar o povo hebreu da escravidão vivida no Egito.

Livros

As 14 pérolas budistas, de Ilan Brenman. São Paulo: Escarlate.

Esse livro é uma coletânea com 14 contos budistas, e cada um deles traz reflexões e ensinamentos do budismo.

As 14 pérolas de sabedoria sufi, de Ilan Brenman. São Paulo: Escarlate.

As sabedorias sufi tocam o coração e levam à reflexão sobre temas como diversidade cultural, valorização da cultura oral, entre outros.

Contos dos orixás, de Hugo Canuto. (Publicação independente)

Em busca de representatividade e valorização da cultura iorubá, muito presente no Brasil, essa narrativa, na linguagem típica dos quadrinhos de super-heróis (*graphic novel*), apresenta alguns mitos de orixás.

Eu medito e me conheço: os exercícios do pequeno sábio para acolher as emoções e desenvolver a atenção, de Sophie Raynal. São Paulo: Companhia das Letrinhas.

Gina vai passar as férias no Japão com os pais. Lá, conhece um sábio que lhe ensina sobre meditação. Cheia de curiosidade, a menina descobre os benefícios que a prática meditativa pode trazer para sua vida.

Meu bairro é assim, de César Obeid. São Paulo: Moderna.

Por meio de poesias, o leitor é convidado a refletir sobre o bairro em que vive, percebendo suas características e criando com ele um vínculo para a vida toda.

O que é a liberdade?, de Renata Bueno. São Paulo: Companhia das Letrinhas.

O personagem principal deste livro é um passarinho que, para muitas pessoas, é o próprio símbolo da liberdade. Para refletir sobre esse tema, a autora apresenta diálogos curiosos com um lápis, um espelho, um camaleão, etc. Cada um ajuda, a partir de suas experiências, a refletir sobre a liberdade que todos desejam ter.

BIBLIOGRAFIA

AGNOLIN, Adone. *História das religiões*: perspectiva histórico-comparativa. São Paulo: Paulinas, 2013.

ALBERONI, Francesco. *Valores:* o bem, o mal, a natureza, a cultura, a vida. Rio de Janeiro: Rocco, 2000.

ANTUNES, Celso. *Novas maneiras de ensinar, novas formas de aprender*. Porto Alegre: Artmed, 2011.

AQUINO, Thiago de Avilar. *Sentido da vida e valores no contexto da educação*. São Paulo: Paulinas, 2015.

Base Nacional Comum Curricular (BNCC). Disponível em: <http://basenacionalcomum.mec.gov.br/>. Acesso em: 17 out. 2019.

BETTENCOURT, Estêvão. *Crenças, religiões, igrejas e seitas – quem são?* 8. ed. São Paulo: O Mensageiro de Santo Antônio, 2012.

BÍBLIA Sagrada Ave Maria. Tradução dos originais em hebraico e grego pelos monges de Maredsous (Bélgica). São Paulo: Ave-Maria, 2006.

BIBLIOTECA Virtual de Direitos Humanos. Disponível em: <www.direitoshumanos.usp.br>. Acesso em: 17 out. 2019.

BITTENCOURT, Zoraia Aguiar et al. *A compreensão leitora nos anos iniciais*: reflexões e propostas de ensino. Petrópolis: Vozes, 2015.

BNCC na Prática. Disponível em: <www.bnccnapratica.com.br/>. Acesso em: 17 out. 2019.

BOWKER, John. *Para entender as religiões*. São Paulo: Ática, 1997.

BRASIL. Ministério da Educação. *Base Nacional Comum Curricular (BNCC)*. Brasília. 2017. Disponível em: <http://basenacionalcomum.mec.gov.br/images/BNCC_EI_EF_110518_versaofinal_site.pdf>. Acesso em: 17 out. 2019.

BRASIL Escola. Disponível em: <https://brasilescola.uol.com.br/>. Acesso em: 17 out. 2019.

BRIGHT, John. *História de Israel*. 2. ed. São Paulo: Paulus, 2004.

CAMPBELL, Linda; CAMPBELL, Bruce; DICKINSON, Dee. *Ensino e aprendizagem por meio das inteligências múltiplas*. Porto Alegre: Artmed, 2000.

CANÇÃO Nova. Disponível em: <https://formacao.cancaonova.com/>. Acesso em: 17 out. 2019.

CARABALLO, Simon Alfredo. *Meu grande amor por Jesus me conduziu ao Islam*. São Paulo: Fambras, [s.d.].

CARNIATO, Maria Inês. *Ensino Religioso*. São Paulo: Paulinas, 2010.

CATECISMO da Igreja católica. Disponível em: <www.vatican.va/archive/ccc/index_po.htm>. Acesso em: 17 out. 2019.

CATUNDA, Ricardo. *Brincar, criar, vivenciar na escola*. Rio de Janeiro: Sprint, 2005.

CENCINI, Amedeo. *A arte de ser discípulo*. São Paulo: Paulinas, 2011.

CENTRO Virtual de Divulgação e Estudo do Espiritismo. Disponível em: <https://cvdee.org/>. Acesso em: 17 out. 2019.

CESCON, Everaldo; NODARI, Paulo César. *Filosofia, ética e educação*: por uma cultura de paz. São Paulo: Paulinas, 2014.

CNBB. *Cristãos leigos e leigas na sociedade (doc. 105)*. Brasília: CNBB, 2019. (Documentos da CNBB)

CONFERÊNCIA Nacional dos Bispos do Brasil – CNBB. Disponível em: <www.cnbb.org.br>. Acesso em: 17 out. 2019.

COSTA, Vagner. *O segredo da amizade*. São Paulo: Moderna, 2002. (Girassol)

DALAI-LAMA. *Pacificando o espírito*. Rio de Janeiro: Bertrand Brasil, 2001.

DEPIZZOLI, Antonio; CRUZ, Therezinha (Org.). *E seguiram Jesus... caminhos bíblicos de iniciação*. Brasília: CNBB, 2018.

ELIADE, Mircea. *Imagens e símbolos*: ensaio sobre o simbolismo mágico-religioso. São Paulo: Martins Fontes, 2012.

FEDERAÇÃO das Associações Muçulmanas do Brasil – Fambras. Disponível em: <www.fambras.org.br>. Acesso em: 17 out. 2019.

FONAPER. *Parâmetros Curriculares Nacionais*: Ensino Religioso. São Paulo: Mundo Mirim, 2009.

FUNDAÇÃO Nacional do Índio – Funai. Disponível em: <www.funai.gov.br>. Acesso em: 17 out. 2019.

INSTITUTO Brasileiro do Meio Ambiente e dos Recursos Naturais Renováveis – Ibama. Disponível em: <www.ibama.gov.br/>. Acesso em: 17 out. 2019.

JUNQUEIRA, Sérgio Rogério Azevedo; MENEGHETTI, Rosa Gitana Krob; WASCHOWICZ, Lilian Anna. *Ensino Religioso e sua relação pedagógica*. Petrópolis: Vozes, 2002.

KRONBAUER, Selenir Corrêa Gonçalves; STROHER, Janete Marga. *Educar para a convivência na diversidade*. São Paulo: Paulinas, 2009.

MINISTÉRIO da Educação. Disponível em: <http://portal.mec.gov.br/index.php>. Acesso em: 17 out. 2019.

O ALCORÃO: livro sagrado do islã. Tradução de Mansour Challita. 12. ed. Rio de Janeiro: Bestbolso, 2017.

PAPA FRANCISCO. *Quem sou eu para julgar?* Rio de Janeiro: Leya, 2017.

PEIXOTO, Nobert. *As flores de Obaluaê*: o poder curativo dos Orixás. 2. ed. Porto Alegre: BesouroBox, 2018.

PENSAMENTO Verde. Disponível em: <www.pensamentoverde.com.br/>. Acesso em: 17 out. 2019.

PONDÉ, Luiz Felipe. *Espiritualidade para corajosos*: a busca do sentido do mundo de hoje. São Paulo: Planeta do Brasil, 2018.

RIVA, Gabriela R. Saab. *Água, um direito humano*. São Paulo: Paulinas, 2016. (Cidadania)

SENRA, Ana. *Oficinas psicopedagógicas para superação da exclusão*. Petrópolis: Vozes, 2016.

TOROPOV, Brandon; BUCKLES, Luke. *O guia completo das religiões do mundo*. 2. ed. São Paulo: Madras, 2017.

VATICANO. Disponível em: <www.vatican.va>. Acesso em: 17 out. 2019.

WALTERS, Kerry. *Ateísmo*: um guia para crentes e não crentes. São Paulo: Paulinas, 2018.

WERNER, Camila (Edit.). *O livro das religiões*. Tradução de Bruno Alexander. 2. ed. São Paulo: Globo, 2016.